MODERATO CANTABILE

DU MEME AUTEUR

Aux Editions de Minuit

DÉTRUIRE DIT-ELLE, 1969.

LES PARLEUSES. *(En collaboration avec Xavière Gauthier),* 1974.

LE CAMION *suivi de* ENTRETIEN AVEC MICHELLE PORTE, 1977.

LES LIEUX DE MARGUERITE DURAS. *(En collaboration avec Michelle Porte),* 1978.

L'HOMME ASSIS DANS LE COULOIR, 1980.

SUR SON ŒUVRE

Aux Editions de Minuit

Marcelle Marini. TERRITOIRES DU FÉMININ avec Marguerite Duras.

Michèle Montrelay. L'OMBRE ET LE NOM sur la féminité.

MARGUERITE DURAS

MODERATO CANTABILE

suivi de

«MODERATO CANTABILE»
ET
LA PRESSE FRANÇAISE

LES ÉDITIONS DE MINUIT

© 1958 by Les Editions de Minuit
7, rue Bernard-Palissy — 75006 Paris
Tous droits réservés pour tous pays
ISBN 2-7073-0314-3

à G. J.

I

— Veux-tu lire ce qu'il y a d'écrit au-dessus de ta partition ? demanda la dame.

— Moderato cantabile, dit l'enfant.

La dame ponctua cette réponse d'un coup de crayon sur le clavier. L'enfant resta immobile, la tête tournée vers sa partition.

— Et qu'est-ce que ça veut dire, moderato cantabile ?

— Je ne sais pas.

Une femme, assise à trois mètres de là, soupira.

— Tu es sûr de ne pas savoir ce que ça veut dire, moderato cantabile ? reprit la dame.

L'enfant ne répondit pas. La dame poussa un cri d'impuissance étouffé, tout en frappant de nouveau le clavier de son crayon. Pas un cil de l'enfant ne bougea. La dame se retourna.

— Madame Desbaresdes, quelle tête vous avez là, dit-elle.

Anne Desbaresdes soupira une nouvelle fois.

— A qui le dites-vous, dit-elle.

L'enfant, immobile, les yeux baissés, fut seul à se souvenir que le soir venait d'éclater. Il en frémit.

— Je te l'ai dit la dernière fois, je te l'ai dit l'avant-dernière fois, je te l'ai dit cent fois, tu es sûr de ne pas le savoir ?

L'enfant ne jugea pas bon de répondre. La dame reconsidéra une nouvelle fois l'objet qui était devant elle. Sa fureur augmenta.

— Ça recommence, dit tout bas Anne Desbaresdes.

— Ce qu'il y a, continua la dame, ce qu'il y a, c'est que tu ne veux pas le dire.

Anne Desbaresdes aussi reconsidéra cet enfant de ses pieds jusqu'à sa tête mais d'une autre façon que la dame.

— Tu vas le dire tout de suite, hurla la dame.

L'enfant ne témoigna aucune surprise. Il ne répondit toujours pas. Alors la dame frappa une troisième fois sur le clavier, mais si fort que le crayon se cassa. Tout à côté des mains de l'enfant. Celles-ci étaient à peine écloses, rondes, laiteuses encore. Fermées sur elles-mêmes, elles ne bougèrent pas.

— C'est un enfant difficile, osa dire Anne Desbaresdes, non sans une certaine timidité.

L'enfant tourna la tête vers cette voix, vers elle, vite, le temps de s'assurer de son existence, puis il reprit sa pose d'objet, face à la partition. Ses mains restèrent fermées.

— Je ne veux pas savoir s'il est difficile ou non, Madame Desbaresdes, dit la dame. Difficile ou pas, il faut qu'il obéisse, ou bien.

Dans le temps qui suivit ce propos, le bruit de la mer entra par la fenêtre ouverte. Et avec lui, celui, atténué, de la ville au cœur de l'après-midi de ce printemps.

— Une dernière fois. Tu es sûr de ne pas le savoir ?

Une vedette passa dans le cadre de la fenêtre ouverte. L'enfant, tourné vers sa partition, remua à peine — seule sa mère le sut — alors que la vedette lui passait dans le sang. Le ronronnement feutré du moteur s'entendit dans toute la ville. Rares étaient les bateaux de plaisance. Le rose de la journée finissante colora le ciel tout entier. D'autres enfants, ailleurs, sur les quais, arrêtés, regardaient.

— Sûr, vraiment, une dernière fois, tu es sûr ?

Encore, la vedette passait.

La dame s'étonna de tant d'obstination. Sa colère fléchit et elle se désespéra de si peu compter aux yeux de cet enfant, que d'un geste, pourtant, elle eût pu réduire à la parole, que l'aridité de son sort, soudain, lui apparut.

— Quel métier, quel métier, quel métier, gémit-elle.

Anne Desbaresdes ne releva pas le propos, mais sa tête se pencha un peu de la manière, peut-être, d'en convenir.

La vedette eut enfin fini de traverser le cadre de la fenêtre ouverte. Le bruit de la mer s'éleva, sans bornes, dans le silence de l'enfant.

— Moderato ?

L'enfant ouvrit sa main, la déplaça et se gratta légèrement le mollet. Son geste fut désinvolte et peut-être la dame convint-elle de son innocence.

— Je sais pas, dit-il, après s'être gratté.

Les couleurs du couchant devinrent tout à coup si glorieuses que la blondeur de cet enfant s'en trouva modifiée.

— C'est facile, dit la dame un peu plus calmement.

Elle se moucha longuement.

— Quel enfant j'ai là, dit Anne Desbaresdes joyeusement, tout de même, mais quel enfant j'ai fait là, et comment se fait-il qu'il me soit venu avec cet entêtement-là...

La dame ne crut pas bon de relever tant d'orgueil.

— Ça veut dire, dit-elle à l'enfant — écrasée — pour la centième fois, ça veut dire modéré et chantant.

— Modéré et chantant, dit l'enfant totalement en allé où ?

La dame se retourna.

— Ah, je vous jure.

— Terrible, affirma Anne Desbaresdes, en riant, têtu comme une chèvre, terrible.

— Recommence, dit la dame.

L'enfant ne recommença pas.

— Recommence, j'ai dit.

L'enfant ne bougea pas davantage. Le bruit de la mer dans le silence de son obstination se fit entendre de nouveau. Dans un dernier sursaut, le rose du ciel augmenta.

— Je ne veux pas apprendre le piano, dit l'enfant.

Dans la rue, en bas de l'immeuble, un cri de femme retentit. Une plainte longue, continue, s'éleva et si haut que le bruit de la mer en fut brisé. Puis elle s'arrêta, net.

— Qu'est-ce que c'est ? cria l'enfant.

— Quelque chose est arrivé, dit la dame.

Le bruit de la mer ressuscita de nouveau. Le rose du ciel, cependant commença à pâlir.

— Non, dit Anne Desbaresdes, ce n'est rien.

Elle se leva de sa chaise et alla vers le piano.

— Quelle nervosité, dit la dame en les regardant tous deux d'un air réprobateur.

Anne Desbaresdes prit son enfant par les épaules, le serra à lui faire mal, cria presque.

— Il faut apprendre le piano, il le faut.

L'enfant tremblait lui aussi, pour la même raison, d'avoir eu peur.

— J'aime pas le piano, dit-il dans un murmure.

D'autres cris relayèrent alors le premier, éparpillés, divers. Ils consacrèrent une actualité déjà dépassée, rassurante désormais. La leçon continuait donc.

— Il le faut, continua Anne Desbaresdes, il le faut.

La dame hocha la tête, la désapprouvant de tant de douceur. Le crépuscule commença à balayer la mer. Et le ciel, lentement, se décolora. L'ouest seul resta rouge encore. Il s'effaçait.

— Pourquoi ? demanda l'enfant.

— La musique, mon amour...

L'enfant prit son temps, celui de tenter de comprendre, ne comprit pas, mais l'admit.

— Bon. Mais qui a crié ?

— J'attends, dit la dame.

Il se mit à jouer. De la musique s'éleva par-dessus la rumeur d'une foule qui commençait à se former au-dessous de la fenêtre, sur le quai.

— Quand même, quand même, dit Anne Desbaresdes joyeusement, voyez.

— S'il voulait, dit la dame.

L'enfant termina sa sonatine. Aussitôt la rumeur d'en bas s'engouffra dans la pièce, impérieuse.

— Qu'est-ce que c'est ? redemanda l'enfant.

— Recommence, répondit la dame. N'oublie pas : moderato cantabile. Pense à une chanson qu'on te chanterait pour t'endormir.

— Jamais je ne lui chante de chansons, dit Anne Desbaresdes. Ce soir il va m'en demander une, et il le fera si bien que je ne pourrai pas refuser de chanter.

La dame ne voulut pas entendre. L'enfant recommença à jouer la sonatine de Diabelli.

— Si bémol à la clef, dit la dame très haut, tu l'oublies trop souvent.

Des voix précipitées, de femmes et d'hommes, de plus en plus nombreuses, montaient du quai. Elles semblaient toutes dire la même chose qu'on ne pouvait distinguer. La sonatine alla son train, impunément, mais cette fois, en son milieu, la dame n'y tint plus.

— Arrête.

L'enfant s'arrêta. La dame se tourna vers Anne Desbaresdes.

— C'est sûr, il s'est passé quelque chose de grave.

Ils allèrent tous les trois à la fenêtre. Sur la gauche du quai, à une vingtaine de mètres de l'immeuble, face à la porte d'un café, un groupe s'était déjà formé. Des gens arrivaient en courant de toutes les rues avoisinantes et s'aggloméraient à lui. C'était vers l'intérieur du café que tout le monde regardait.

— Hélas, dit la dame, ce quartier... — elle se tourna vers l'enfant, le prit par le bras — Recommence une dernière fois, là où tu t'es arrêté.

— Qu'est-ce qu'il y a ?

— Ta sonatine.

L'enfant joua. Il reprit la sonatine au même rythme que précédemment et, la fin de la leçon approchant, il la nuança comme on le désirait, moderato cantabile.

— Quand il obéit de cette façon, ça me dégoûte un peu, dit Anne Desbaresdes. Je ne sais pas ce que je veux, voyez-vous. Quel martyre.

L'enfant continua néanmoins à bien faire.

— Quelle éducation lui donnez-vous là, Madame Desbaresdes, remarqua la dame presque joyeusement.

Alors l'enfant s'arrêta.

— Pourquoi t'arrêtes-tu ?

— Je croyais.

Il reprit sa sonatine comme on le lui demandait. Le bruit sourd de la foule s'amplifiait toujours, il devenait maintenant si puissant, même à cette hauteur-là de l'immeuble, que la musique en était débordée.

— Ce si bémol à la clef, n'oublie pas, dit la dame, sans ça ce serait parfait, tu vois.

La sonatine se déroula, grandit, atteignit son dernier accord une fois de plus. Et l'heure prit fin. La dame proclama la leçon terminée pour ce jour-là.

— Vous aurez beaucoup de mal, Madame Desbaresdes, avec cet enfant, dit-elle, c'est moi qui vous le dis.

— C'est déjà fait, il me dévore.

Anne Desbaresdes baissa la tête, ses yeux se fermèrent dans le douloureux sourire d'un enfantement sans fin. En bas, quelques cris, des appels maintenant raisonnables, indiquèrent la consommation d'un événement inconnu.

— Demain, nous le saurons bien, dit la dame.

L'enfant courut à la fenêtre.

— Des autos qui arrivent, dit-il.

La foule obstruait le café de part et d'autre de l'entrée, elle se grossissait encore, mais plus faiblement, des apports des rues voisines, elle était beaucoup plus importante qu'on n'eût pu le prévoir. La ville s'était multipliée. Les gens s'écartèrent, un courant se creusa au milieu d'eux pour laisser le passage à un fourgon noir. Trois hommes en descendirent et pénétrèrent dans le café.

— La police, dit quelqu'un.

Anne Desbaresdes se renseigna.

— Quelqu'un qui a été tué. Une femme.

Elle laissa son enfant devant le porche de Mademoiselle Giraud, rejoignit le gros de la foule devant le café, s'y faufila et atteignit le dernier rang des gens qui, le long des vitres ouvertes, immobilisés par le spectacle, voyaient. Au fond du café, dans la pénombre de l'arrière-salle, une femme était étendue par terre, inerte. Un homme, couché sur elle, agrippé à ses épaules, l'appelait calmement.

— Mon amour. Mon amour.

Il se tourna vers la foule, la regarda, et on vit ses yeux. Toute expression en avait disparu, exceptée celle, foudroyée, indélébile, inversée du monde, de son désir. La police entra. La patronne, dignement dressée près de son comptoir, l'attendait.

— Trois fois que j'essaye de vous appeler.

— Pauvre femme, dit quelqu'un.

— Pourquoi ? demanda Anne Desbaresdes.

— On ne sait pas.

L'homme, dans son délire, se vautrait sur le corps étendu de la femme. Un inspecteur le prit par le bras et le releva. Il se laissa faire. Apparemment, toute dignité l'avait quitté à jamais. Il scruta l'inspecteur d'un regard toujours absent du reste du monde. L'inspecteur le lâcha, sortit un carnet de sa poche, un crayon, lui demanda de décliner son identité, attendit.

— Ce n'est pas la peine, je ne répondrai pas maintenant, dit l'homme.

L'inspecteur n'insista pas et alla rejoindre ses collègues qui questionnaient la patronne, assis à la dernière table de l'arrière-salle.

L'homme s'assit près de la femme morte, lui caressa les cheveux et lui sourit. Un jeune homme arriva en courant à la porte du café, un appareil-photo en bandoulière et le photographia ainsi, assis et souriant. Dans la lueur du magnésium, on put voir que la femme était jeune encore et qu'il y avait du sang qui coulait de sa bouche en minces filets épars et qu'il y en avait aussi sur le visage de l'homme qui l'avait embrassée. Dans la foule, quelqu'un dit :

— C'est dégoûtant, et s'en alla.

L'homme se recoucha de nouveau le long du corps de sa femme, mais un temps très court. Puis, comme si cela l'eût lassé, il se releva encore.

— Empêchez-le de partir, cria la patronne.

Mais l'homme ne s'était relevé que pour mieux s'allonger encore, de plus près, le long du corps. Il resta là, dans une résolution apparemment tranquille, agrippé de nouveau à elle de ses deux bras, le visage collé au sien, dans le sang de sa bouche.

Mais les inspecteurs en eurent fini d'écrire sous la dictée de la patronne et, à pas lents, tous trois marchant de front, un air identique d'intense ennui sur leur visage, ils arrivèrent devant lui.

L'enfant, sagement assis sous le porche de Mademoiselle Giraud, avait un peu oublié. Il fredonnait la sonatine de Diabelli.

— Ce n'était rien, dit Anne Desbaresdes, maintenant il faut rentrer.

L'enfant la suivit. Des renforts de police arrivèrent — trop tard, sans raison. Comme ils passaient devant le café, l'homme en sortit, encadré par les inspecteurs. Sur son passage, les gens s'écartèrent en silence.

— Ce n'est pas lui qui a crié, dit l'enfant. Lui, il n'a pas crié.

— Ce n'est pas lui. Ne regarde pas.

— Dis-moi pourquoi.

— Je ne sais pas.

L'homme marcha docilement jusqu'au fourgon. Mais, une fois là, il se débattit en silence, échappa aux inspecteurs et courut en sens inverse, de toutes ses forces, vers le café. Mais, comme il allait l'atteindre, le café s'éteignit. Alors il s'arrêta, en pleine course, il suivit de nouveau les inspecteurs jusqu'au fourgon et il y monta. Peut-être alors pleura-t-il, mais le crépuscule trop avancé déjà ne permit d'apercevoir que la grimace ensanglantée et tremblante de son visage et non plus de voir si des larmes s'y coulaient.

— Quand même, dit Anne Desbaresdes en arrivant boulevard de la Mer, tu pourrais t'en souvenir une fois pour toutes. Moderato, ça veut dire modéré, et cantabile, ça veut dire chantant, c'est facile.

II

Le lendemain, alors que toutes les usines fumaient encore à l'autre bout de la ville, à l'heure déjà passée où chaque vendredi ils allaient dans ce quartier,

— Viens, dit Anne Desbaresdes à son enfant.

Ils longèrent le boulevard de la Mer. Déjà des gens s'y promenaient, flânant. Et même il y avait quelques baigneurs.

L'enfant avait l'habitude de parcourir la ville, chaque jour, en compagnie de sa mère, de telle sorte qu'elle pouvait le mener n'importe où. Cependant, une fois le premier môle dépassé, lorsqu'ils atteignirent le deuxième bassin des remorqueurs, au-dessus duquel habitait Mademoiselle Giraud, il s'effraya.

— Pourquoi là ?

— Pourquoi pas ? dit Anne Desbaresdes. Aujourd'hui, c'est pour se promener seulement. Viens. Là, ou ailleurs.

L'enfant se laissa faire, la suivit jusqu'au bout. Elle alla droit au comptoir. Seul un homme y était, qui lisait un journal.

— Un verre de vin, demanda-t-elle.

Sa voix tremblait. La patronne s'étonna, puis se ressaisit.

— Et pour l'enfant ?

— Rien.

— C'est là qu'on a crié, je me rappelle, dit l'enfant.

Il se dirigea vers le soleil de la porte, descendit la marche, disparut sur le trottoir.

— Il fait beau, dit la patronne.

Elle vit que cette femme tremblait, évita de la regarder.

— J'avais soif, dit Anne Desbaresdes.

— Les premières chaleurs, c'est pourquoi.

— Et même je vous demanderai un autre verre de vin.

Au tremblement persistant des mains accrochées au verre, la patronne comprit qu'elle n'aurait pas si vite l'explication qu'elle désirait, que celle-ci viendrait d'elle-même, une fois cet émoi passé.

Ce fut plus rapide qu'elle l'eût cru. Anne Desbaresdes but le deuxième verre de vin d'un trait.

— Je passais, dit-elle.

— C'est un temps à se promener, dit la patronne.

L'homme avait cessé de lire son journal.

— Justement, hier à cette heure-ci, j'étais chez Mademoiselle Giraud.

Le tremblement des mains s'atténua. Le visage prit une contenance presque décente.

— Je vous reconnais.

— C'était un crime, dit l'homme.

Anne Desbaresdes mentit.

— Je vois... Je me le demandais, voyez-vous.

— C'est naturel.

— Parfaitement, dit la patronne. Ce matin, c'était un défilé.

L'enfant passa à cloche-pied sur le trottoir.

— Mademoiselle Giraud donne des leçons à mon petit garçon.

Le vin aidant sans doute, le tremblement de la voix avait lui aussi cessé. Dans les yeux, peu à peu, afflua un sourire de délivrance.

— Il vous ressemble, dit la patronne.

— On le dit — le sourire se précisa encore.

— Les yeux.

— Je ne sais pas, dit Anne Desbaresdes. Voyez-vous... tout en le promenant, je trouvais que c'était une occasion que de venir aujourd'hui ici. Ainsi...

— Un crime, oui.

Anne Desbaresdes mentit de nouveau.

— Ah, je l'ignorais, voyez-vous.

Ue remorqueur quitta le bassin et démarra dans le fracas régulier et chaud de ses moteurs. L'enfant s'immobilisa sur le trottoir, pendant le temps que dura sa manœuvre, puis il se retourna vers sa mère.

— Où ça va ?

Elle l'ignorait, dit-elle. L'enfant repartit. Elle prit le verre vide devant elle, s'aperçut de sa mégarde, le reposa sur le comptoir et attendit, les yeux baissés. Alors, l'homme se rapprocha.

— Vous permettez.

Elle ne s'étonna pas, toute à son désarroi.

— C'est que je n'ai pas l'habitude, Monsieur.

Il commanda du vin, fit encore un pas vers elle.

— Ce cri était si fort que vraiment il est bien naturel que l'on cherche à savoir. J'aurais pu difficilement éviter de le faire, voyez-vous.

Elle but son vin, le troisième verre.

— Ce que je sais, c'est qu'il lui a tiré une balle dans le cœur.

Deux clients entrèrent. Ils reconnurent cette femme au comptoir, s'étonnèrent.

— Et, évidemment on ne peut pas savoir pourquoi ?

Il était clair qu'elle n'avait pas l'habitude du vin, qu'à cette heure-là de la journée autre chose de bien différent l'occupait en général.

— J'aimerais pouvoir vous le dire, mais je ne sais rien de sûr.

— Peut-être que personne ne le sait ?

— Lui le savait. Il est maintenant devenu fou, enfermé depuis hier soir. Elle, est morte.

L'enfant surgit de dehors et se colla contre sa mère dans un mouvement d'abandon heureux. Elle lui caressa distraitement les cheveux. L'homme regarda plus attentivement.

— Ils s'aimaient, dit-il.

Elle sursauta, mais à peine.

— Alors, maintenant, tu le sais, dit l'enfant, pourquoi on a crié ?

Elle ne répondit pas, fit, de la tête, signe que non. L'enfant s'en alla de nouveau vers la porte, elle le suivit des yeux.

— Lui travaillait à l'arsenal. Elle, je ne sais pas.

Elle se retourna vers lui, s'approcha.

— Peut-être avaient-ils des difficultés, ce qu'on appelle des difficultés de cœur alors ?

Les clients s'en allèrent. La patronne, qui avait entendu, vint au bout du comptoir.

— Et mariée, elle, dit-elle, trois enfants, et ivrogne, c'est à se demander.

— N'empêche, peut-être ? demanda Anne Desbaresdes, au bout d'un temps.

L'homme n'acquiesça pas. Elle se décontenança. Et aussitôt, le tremblement des mains recommença.

— Enfin, je ne sais pas... dit-elle.

— Non, dit la patronne, croyez-moi, et je n'aime

pas me mêler des affaires des autres en général.

Trois nouveaux clients entrèrent. La patronne s'éloigna.

— N'empêche, je crois aussi, dit l'homme en souriant. Ils devaient avoir, oui, des difficultés de cœur, comme vous dites. Mais peut-être n'est-ce pas en raison de ces difficultés-là qu'il l'a tuée, qui sait ?

— Qui sait, c'est vrai.

La main chercha le verre, machinalement. Il fit signe à la patronne de les servir à nouveau de vin. Anne Desbaresdes ne protesta pas, eut l'air, au contraire, de l'attendre.

— A le voir faire avec elle, dit-elle doucement, comme si, vivante ou morte, ça ne lui importait plus désormais, vous croyez qu'il est possible d'en arriver... là... autrement que... par désespoir ?

L'homme hésita, la regarda en face, prit un ton tranchant.

— Je l'ignore, dit-il.

Il lui tendit son verre, elle le prit, but. Et il la ramena vers des régions qui sans doute devaient lui être plus familières.

— Vous vous promenez souvent dans la ville.

Elle avala une gorgée de vin, le sourire revint sur son visage et l'obscurcit de nouveau, mais plus avant que tout à l'heure. Son ivresse commençait.

— Oui, tous les jours je promène mon enfant.

La patronne, qu'il surveillait, parlait avec les trois clients. C'était un samedi. Les gens avaient du temps à perdre.

— Mais dans cette ville, si petite qu'elle soit, tous les jours il se passe quelque chose, vous le savez bien.

— Je le sais, mais sans doute qu'un jour ou

l'autre... une chose vous étonne davantage — elle se troubla. D'habitude je vais dans les squares ou au bord de la mer.

Toujours grâce à son ivresse qui grandissait, elle en vint à regarder devant elle, cet homme.

— Il y a longtemps que vous le promenez.

Les yeux de cet homme qui lui parlait et qui la regardait aussi, dans le même temps.

— Je veux dire qu'il y a longtemps que vous le promenez dans les squares ou au bord de la mer, reprit-il.

Elle se plaignit. Son sourire disparut. Une moue le remplaça, qui mit brutalement son visage à découvert.

— Je n'aurais pas dû boire tant de vin.

Une sirène retentit qui annonçait la fin du travail pour les équipes du samedi. Aussitôt après, la radio s'éleva en rafale, insupportable.

— Six heures déjà, annonça la patronne.

Elle baissa la radio, s'affaira, prépara des files de verres sur le comptoir. Anne Desbaresdes resta un long moment dans un silence stupéfié à regarder le quai, comme si elle ne parvenait pas à savoir ce qu'il lui fallait faire d'elle-même. Lorsque dans le port un mouvement d'hommes s'annonça, bruissant, de loin encore, l'homme lui reparla.

— Je vous disais qu'il y avait longtemps que vous promeniez cet enfant au bord de la mer ou dans les squares.

— J'y ai pensé de plus en plus depuis hier soir, dit Anne Desbaresdes, depuis la leçon de piano de mon enfant. Je n'aurais pas pu m'empêcher de venir aujourd'hui, voyez.

Les premiers hommes entrèrent. L'enfant se frayà un passage à travers eux, curieux, et arriva jusqu'à sa mère, qui le prit contre elle dans un mouvement d'enlacement machinal.

— Vous êtes Madame Desbaresdes. La femme du directeur d'Import Export et des Fonderies de la Côte. Vous habitez boulevard de la Mer.

Une autre sirène retentit, plus faible que la première, à l'autre bout du quai. Un remorqueur arriva. L'enfant se dégagea, d'une façon assez brutale, s'en alla en courant.

— Il apprend le piano, dit-elle. Il a des dispositions, mais beaucoup de mauvaise volonté, il faut que j'en convienne.

Toujours pour faire place aux homme qui entraient régulièrement très nombreux dans le café, il se rapprocha un peu plus d'elle. Les premiers clients s'en allèrent. D'autres arrivèrent encore. Entre eux, dans le jeu de leurs allées et venues, on voyait le soleil se coucher dans la mer, le ciel qui flambait et l'enfant qui, de l'autre côté du quai, jouait tout seul à des jeux dont le secret était indiscernable à cette distance. Il sautait des obstacles imaginaires, devait chanter.

— Je voudrais pour cet enfant tant de choses à la fois que je ne sais pas comment m'y prendre, par où commencer. Et je m'y prends très mal. Il faut que je rentre parce qu'il est tard.

— Je vous ai vue souvent. Je n'imaginais pas qu'un jour vous arriveriez jusqu'ici avec votre enfant.

La patronne augmenta un peu le volume de la radio pour ceux des derniers clients qui venaient d'entrer. Anne Desbaresdes se tourna vers le comptoir, fit une grimace, accepta le bruit, l'oublia.

— Si vous saviez tout le bonheur qu'on leur veut, comme si c'était possible. Peut-être vaudrait-il mieux parfois que l'on nous en sépare. Je n'arrive pas à me faire une raison de cet enfant.

— Vous avez une belle maison au bout du boulevard de la Mer. Un grand jardin fermé.

Elle le regarda, perplexe, revenue à elle.

— Mais ces leçons de piano, j'en ai beaucoup de plaisir, affirma-t-elle.

L'enfant, traqué par le crépuscule, revint une nouvelle fois vers eux. Il resta là à contempler le monde, les clients. L'homme fit signe à Anne Desbaresdes de regarder au-dehors. Il lui sourit.

— Regardez, dit-il, les jours allongent, allongent...

Anne Desbaresdes regarda, ajusta son manteau avec soin, lentement.

— Vous travaillez dans cette ville, Monsieur ?

— Dans cette ville, oui. Si vous reveniez, j'essaierais de savoir autre chose et je vous le dirais.

Elle baissa les yeux, se souvint et pâlit.

— Du sang sur sa bouche, dit-elle, et il l'embrassait, l'embrassait.

Elle se reprit : ce que vous avez dit, vous le supposiez ?

— Je n'ai rien dit.

Le couchant était si bas maintenant qu'il atteignait le visage de cet homme. Son corps, debout, légèrement appuyé au comptoir, le recevait déjà depuis un moment.

— A l'avoir vu, on ne peut pas s'empêcher, n'est-ce pas, c'est presque inévitable ?

— Je n'ai rien dit, répéta l'homme. Mais je crois qu'il l'a visée au cœur comme elle le lui demandait.

Anne Desbaresdes gémit. Une plainte presque licencieuse, douce, sortit de cette femme.

— C'est curieux, je n'ai pas envie de rentrer, dit-elle.

Il prit brusquement son verre, le termina d'un trait, ne répondit pas, la quitta des yeux.

— J'ai dû trop boire, continua-t-elle, voyez-vous, c'est ça.

— C'est ça, oui, dit l'homme.

Le café s'était presque vidé. Les entrées se firent plus rares. Tout en lavant ses verres, la patronne les lorgnait, intriguée de les voir tant s'attarder, sans doute. L'enfant, revenu vers la porte, contemplait les quais maintenant silencieux. Debout devant l'homme, tournant le dos au port, Anne Desbaresdes se tut encore longtemps. Lui ne paraissait pas s'apercevoir de sa présence.

— Il m'aurait été impossible de ne pas revenir, dit-elle enfin.

— Je suis revenu moi aussi pour la même raison que vous.

— On la voit souvent par la ville, dit la patronne, avec son petit garçon. À la belle saison tous les jours.

— Les leçons de piano ?

— Le vendredi, une fois par semaine. Hier. Ça lui faisait une sortie, en somme, cette histoire.

L'homme faisait jouer la monnaie dans sa poche. Il fixait le quai devant lui. La patronne n'insista pas.

Le môle dépassé, le boulevard de la Mer s'étendait, parfaitement rectiligne, jusqu'à la fin de la ville.

— Lève la tête, dit Anne Desbaresdes. Regarde-moi.

L'enfant obéit, accoutumé à ses manières.

— Quelquefois je crois que je t'ai inventé, que ce n'est pas vrai, tu vois.

L'enfant leva la tête et bâilla face à elle. L'intérieur de sa bouche s'emplit de la dernière lueur du couchant. L'étonnement de Anne Desbaresdes, quand elle regardait cet enfant, était toujours égal à lui-même depuis le premier jour. Mais ce soir-là sans doute crut-elle cet étonnement comme à lui-même renouvelé.

III

L'enfant poussa la grille, son petit cartable brinquebalant sur son dos, puis il s'arrêta sur le seuil du parc. Il inspecta les pelouses autour de lui, marcha lentement, sur la pointe des pieds, attentif, on ne sait jamais, aux oiseaux qu'il aurait fait fuir en avançant. Justement, un oiseau s'envola. L'enfant le suivit des yeux pendant un moment, le temps de le voir se poser sur un arbre du parc voisin, puis il continua son chemin jusqu'au-dessous d'une certaine fenêtre, derrière un hêtre. Il leva la tête. A cette fenêtre, à cette heure-là de la journée, toujours on lui souriait. On lui sourit.

— Viens, cria Anne Desbaresdes, on va se promener.

— Le long de la mer ?

— Le long de la mer, partout. Viens.

Ils suivirent de nouveau le boulevard en direction des môles. L'enfant comprit très vite, ne s'étonna guère.

— C'est loin, se plaignit-il — puis il accepta, chantonna.

Lorsqu'ils dépassèrent le premier bassin, il était encore tôt. Devant eux, à l'extrémité sud de la ville, l'horizon était obscurci de zébrures noires, de nuages ocre que versaient vers le ciel les fonderies.

L'heure était creuse, le café encore désert. Seul, l'homme était là, au bout du bar. La patronne, aussitôt qu'elle entra, se leva et alla vers Anne Desbaresdes. L'homme ne bougea pas.

— Ce sera ?

— Je voudrais un verre de vin.

Elle le but aussitôt servi. Le tremblement était encore plus fort que trois jours auparavant.

— Vous vous étonnez peut-être de me revoir ?

— Dans mon métier..., dit la patronne.

Elle lorgna l'homme à la dérobée — lui aussi avait pâli —, se rassit, puis, se ravisant, se retourna sur elle-même et d'un geste décent, alluma la radio. L'enfant quitta sa mère et s'en alla sur le trottoir.

— Comme je vous le disais, mon petit garçon prend des leçons de piano chez Mademoiselle Giraud. Vous devez la connaître.

— Je la connais. Il y a plus d'un an que je vous vois passer, une fois par semaine, le vendredi, n'est-ce pas ?

— Le vendredi, oui. Je voudrais un autre verre de vin.

L'enfant avait trouvé un compagnon. Immobiles sur l'avancée du quai, ils regardaient décharger le sable d'une grande péniche. Anne Desbaresbes but la moitié de son second verre de vin. Le tremblement de ses mains s'atténua un peu.

— C'est un enfant qui est toujours seul, dit-elle en regardant vers l'avancée du quai.

La patronne reprit son tricot rouge, elle jugea inutile de répondre. Un autre remorqueur chargé à ras bord entrait dans le port. L'enfant cria quelque chose d'indistinct. L'homme s'approcha d'Anne Desbaresdes.

— Asseyez-vous, dit-il.

Elle le suivit sans un mot. La patronne, tout en tricotant, regardait obstinément le remorqueur. Il était visible qu'à son gré les choses prenaient un tour déplaisant.

— Là.

Il lui désigna une table. Elle s'assit, et lui en face d'elle.

— Merci, murmura-t-elle.

Dans la salle, il faisait la pénombre fraîche d'un début d'été.

— Je suis revenue, voyez.

Dehors, très près, un enfant siffla. Elle sursauta.

— Je voudrais que vous preniez un autre verre de vin, dit l'homme, les yeux sur la porte.

Il commanda le vin. La patronne s'exécuta sans un mot, déjà lassée sans doute du dérèglement de leurs manières. Anne Desbaresdes s'adossa à sa chaise, s'abandonna au répit que lui laissait sa peur.

— Il y a maintenant trois jours, dit l'homme.

Elle se redressa avec effort et but de nouveau son vin.

— C'est bon, dit-elle, bas.

Les mains ne tremblèrent plus. Elle se redressa encore, s'avança légèrement vers lui qui maintenant la regardait.

— Je voulais vous demander, vous ne travaillez donc pas aujourd'hui ?

— Non, j'ai besoin de temps en ce moment.

Elle eut un sourire d'une hypocrite timidité.

— Du temps pour ne rien faire ?

— Rien, oui.

La patronne était bien à son poste, derrière sa caisse. Anne Desbaresdes parla bas.

— La difficulté, c'est de trouver un prétexte, pour une femme, d'aller dans un café, mais je me suis dit que j'étais quand même capable d'en trouver un, par exemple un verre de vin, la soif...

— J'ai essayé de savoir davantage. Je ne sais rien.

Anne Desbaresdes s'exténua encore une fois à se ressouvenir.

— C'était un cri très long, très haut, qui s'est arrêté net alors qu'il était au plus fort de lui-même, dit-elle.

— Elle mourait, dit l'homme. Le cri a dû s'arrêter au moment où elle a cessé de le voir.

Un client arriva, ne les remarqua guère, s'accouda au comptoir.

— Une fois, il me semble bien, oui, une fois j'ai dû crier un peu de cette façon, peut-être, oui, quand j'ai eu cet enfant.

— Ils s'étaient connus par hasard dans un café, peut-être même dans ce café-ci qu'ils fréquentaient tous les deux. Et ils ont commencé à se parler de choses et d'autres. Mais je ne sais rien. Ça vous a fait très mal, cet enfant ?

— J'ai crié, si vous saviez.

Elle sourit, s'en souvenant, se renversa en arrière, libérée tout à coup de toute sa peur. Il se rapprocha de la table, lui dit sèchement :

— Parlez-moi.

Elle fit un effort, trouva quoi dire.

— J'habite la dernière maison du boulevard de la Mer, la dernière quand on quitte la ville. Juste avant les dunes.

— Le magnolia, à l'angle gauche de la grille, est en fleurs.

— Oui, il y en a tellement à cette époque-ci de

l'année qu'on peut en rêver et en être malade tout le jour qui suit. On ferme sa fenêtre, c'est à n'y pas tenir.

— C'est dans cette maison qu'on vous a épousée il y a maintenant dix ans ?

— C'est là. Ma chambre est au premier étage, à gauche, en regardant la mer. Vous me disiez la dernière fois qu'il l'avait tuée parce qu'elle le lui avait demandé, pour lui plaire, en somme ?

Il s'attarda, sans répondre à sa question, à voir enfin la ligne de ses épaules.

— Si vous fermez votre fenêtre à cette époque-ci de l'année, dit-il, vous devez avoir chaud et mal dormir.

Anne Desbaresdes devint sérieuse plus que le propos, apparemment, ne l'exigeait.

— L'odeur des magnolias est si forte, si vous saviez.

— Je sais.

Il quitta des yeux la ligne droite de ses épaules, la quitta des yeux.

— Au premier étage, n'y a-t-il pas un long couloir, très long, qui est commun à vous et aux autres dans cette maison, et qui fait que vous y êtes ensemble et séparés à la fois ?

— Ce couloir existe, dit Anne Desbaresdes, et comme vous le dites. Dites-moi, je vous en prie, comment elle en est venue à découvrir que c'était justement ça qu'elle voulait de lui, comment elle a su à ce point ce qu'elle désirait de lui ?

Ses yeux revinrent aux siens, d'une fixité devenue un peu hagarde.

— J'imagine qu'un jour, dit-il, un matin à l'aube, elle a su soudainement ce qu'elle désirait de lui. Tout est devenu clair pour elle au point qu'elle lui a dit quel serait son désir. Il n'y a pas d'explication, je crois, à ce genre de découverte-là.

Dehors, les jeux calmes de l'enfant continuaient. Le deuxième remorqueur était arrivé à quai. Dans le répit qui suivit l'arrêt de ses moteurs, la patronne bougea des objets sous le comptoir, avec ostentation, leur rappela le temps qui s'écoulait.

— C'est par ce couloir que vous disiez qu'il faut passer pour aller dans votre chambre ?

— C'est par ce couloir.

L'enfant entra en courant très vite, renversa sa tête sur l'épaule de sa mère. Elle ne prit pas garde à lui.

— Oh, que je m'amuse, dit-il. Il s'enfuit de nouveau.

— J'oubliais de vous dire combien je voudrais qu'il soit déjà grand, dit Anne Desbaresdes.

Il la servit de vin, lui tendit son verre, elle le but aussitôt.

— Vous savez, dit-il, j'imagine aussi qu'il l'aurait fait de lui-même un jour, même sans ses instances à elle. Qu'elle n'était pas seule à avoir découvert ce qu'elle désirait de lui.

Elle revint de loin à ses questions, harcelante, méthodiquement.

— Je voudrais que vous me disiez le commencement même, comment ils ont commencé à se parler. C'est dans un café, disiez-vous...

Les deux enfants jouaient à courir en rond, toujours sur l'avancée du quai.

— Nous avons peu de temps, dit-il. Les usines ferment dans un quart d'heure. Oui, je crois bien que c'est dans un café qu'ils ont commencé à se parler, à moins que ce soit ailleurs. Ils ont peut-être parlé de la situation politique, des risques de guerre, ou bien d'autre chose encore de bien différent de tout ce qu'on peut imaginer, de tout, de rien. Peut-être pourrait-on boire encore un verre de vin avant que vous ne retourniez boulevard de la Mer.

La patronne les servit, toujours en silence, peut-être un peu vivement. Ils n'y prirent pas garde.

— Au bout de ce long couloir — Anne Desbaresdes parlait posément — il y a une grande baie vitrée, face au boulevard. Le vent la frappe de plein fouet. L'année dernière, pendant un orage, les vitres se sont cassées. C'était la nuit.

Elle se renversa sur sa chaise et rit.

— Que ce soit justement dans cette ville que ce soit arrivé... ah, comment se faire à cette idée !...

— C'est une petite ville, en effet. A peine le contingent de trois usines.

Le mur du fond de la salle s'illumina du soleil couchant. En son milieu, le trou noir de leurs ombres conjuguées se dessina.

— Alors ils ont parlé, dit Anne Desbaresdes, et parlé, beaucoup de temps, beaucoup, avant d'y arriver.

— Je crois qu'ils ont passé beaucoup de temps ensemble pour en arriver là où ils étaient, oui. Parlez-moi.

— Je ne sais plus, avoua-t-elle.

Il lui sourit de façon encourageante.

— Qu'est-ce que ça peut faire ?

De nouveau elle parla, avec application, presque difficulté, très lentement.

— Il me semble que cette maison dont nous parlions a été faite un peu arbitrairement, vous voyez ce que je veux dire, mais quand même en raison d'une commodité dont tout le monde devrait être satisfait.

— Au rez-de-chaussée il y a des salons où vers la fin mai, chaque année, on donne des réceptions au personnel des fonderies.

Foudroyante, la sirène retentit. La patronne se leva de sa chaise, rangea son tricot rouge, rinça des verres qui crissèrent sous l'eau froide.

— Vous aviez une robe noire très décolletée. Vous nous regardiez avec amabilité et indifférence. Il faisait chaud.

Elle ne fut pas surprise, frauda.

— Le printemps est exceptionnellement beau, dit Anne Desbaresdes, tout le monde en parlait déjà. Vous croyez quand même que c'est elle qui a commencé à le dire, à oser le dire et qu'ensuite il en a été question entre eux comme d'autre chose ?

— Je ne sais rien d'autre que vous. Peut-être en a-t-il été question une seule fois entre eux, peut-être en a-t-il été question tous les jours ? Comment le saurions-nous ? Mais sans doute sont-ils arrivés très exactement ensemble là où ils étaient il y a trois jours, à ne plus savoir du tout, ensemble, ce qu'ils faisaient.

Il releva la main, la laissa retomber près de la sienne sur la table, il la laissa là. Elle remarqua ces deux mains posées côte à côte pour la première fois.

— Voilà que j'ai encore bu trop de vin, se plaignit-elle.

— Ce grand couloir dont vous parliez reste parfois allumé très tard.

— Il m'arrive de ne pas arriver à m'endormir.

— Pourquoi allumer aussi ce couloir et pas seulement votre chambre ?

— Une habitude que j'ai. Je ne sais pas au juste.

— Rien ne s'y passe, rien, la nuit.

— Si. Derrière une porte, mon enfant dort.

Elle ramena ses bras vers la table, rentra les épaules, frileusement, ajusta sa veste.

— Il faut que je rentre peut-être, maintenant. Voyez comme c'est tard.

Il releva sa main, lui fit signe de rester encore. Elle resta.

— Quand c'est le jour, au petit matin, vous allez regarder à travers la grande baie vitrée.

— L'été, les ouvriers de l'arsenal commencent à passer vers six heures. L'hiver, la plupart prennent le car à cause du vent, du froid. Ça ne dure qu'un quart d'heure.

— La nuit, il ne passe jamais personne, jamais ?

— Quelquefois si, une bicyclette, on se demande d'où ça peut venir. Est-ce de la douleur de l'avoir tuée, qu'elle soit morte, que cet homme est devenu fou, ou autre chose s'est-il ajouté de plus loin à cette douleur, autre chose que les gens ignorent en général ?

— Sans doute qu'autre chose s'est en effet ajouté à sa douleur, autre chose que nous ignorons encore.

Elle se leva, se leva avec lenteur, fut levée, réajusta une nouvelle fois sa veste. Il ne l'aida pas. Elle se tint en face de lui encore assis, ne disant rien. Les premiers hommes entrèrent au café, s'étonnèrent, interrogèrent la patronne du regard. Celle-ci, d'un léger mouvement d'épaules, signifia qu'elle-même n'y comprenait pas grand-chose.

— Peut-être que vous ne reviendrez plus.

Quand à son tour il se releva et se redressa, Anne Desbaresdes dut remarquer qu'il était encore jeune, que le couchant se jouait aussi limpide dans ses yeux que dans ceux d'un enfant. Elle scruta à travers le regard leur matière bleue.

— Je n'avais pas pensé que je pourrais ne plus venir.

Il la retint une dernière fois.

— Souvent, vous regardez ces hommes qui vont à l'arsenal, surtout l'été, et la nuit, lorsque vous dormez mal, le souvenir vous en revient.

— Lorsque je me réveille assez tôt, avoua Anne Desbaresdes, je les regarde. Et parfois aussi, oui, le souvenir de certains d'entre eux, la nuit, m'est revenu.

Au moment où ils se quittèrent, d'autres hommes débouchaient sur le quai. Ceux-là devaient venir des Fonderies de la Côte, qui étaient plus éloignées de la ville que l'arsenal. Il faisait plus clair que trois jours avant. Il y avait des mouettes dans le ciel redevenu bleu.

— J'ai bien joué, annonça l'enfant.

Elle le laissa raconter ses jeux jusqu'à ce qu'ils aient dépassé le premier môle à partir duquel filait, sans une courbe, le boulevard de la Mer, jusqu'aux dunes qui marquaient sa fin. L'enfant s'impatienta.

— Qu'est-ce que tu as ?

Avec le crépuscule, la brise commença à balayer la ville. Elle eut froid.

— Je ne sais pas. J'ai froid.

L'enfant prit la main de sa mère, l'ouvrit, y enfouit la sienne dans une résolution implacable. Elle y fut contenue tout entière. Anne Desbaresdes cria presque.

— Ah, mon amour.

— Tu vas toujours à ce café maintenant.

— Deux fois.

— Mais tu vas y aller encore ?

— Je crois.

Ils croisèrent des gens qui rentraient, des pliants à la main. Le vent frappait de front.

— Moi, qu'est-ce que tu vas m'acheter ?

— Un bateau rouge à moteur, tu veux bien ?

L'enfant soupesa cet avenir en silence, soupira d'aise.

— Oui, un gros bateau rouge à moteur. Comment t'as trouvé ?

Elle le prit par les épaules, le retint comme il essayait de se dégager pour courir en avant.

— Tu grandis, toi, ah, comme tu grandis, comme c'est bien.

IV

Le lendemain encore, Anne Desbaresdes entraîna son enfant jusqu'au port. Le beau temps continuait, à peine plus frais que la veille. Les éclaircies étaient moins rares, plus longues. Dans la ville, ce temps, si précocement beau, faisait parler. Certains exprimaient la crainte de le voir se terminer dès le lendemain, en raison de sa durée inhabituelle. Certains autres se rassuraient, prétendant que le vent frais qui soufflait sur la ville tenait le ciel en haleine et qu'il l'empêcherait encore de s'ennuager trop avant.

Anne Desbaresdes traversa ce temps, ce vent, elle arriva au port après avoir dépassé le premier môle, le bassin des remorqueurs de sable, à partir duquel s'ouvrait la ville, vers son large quartier industriel. Elle s'arrêta encore au comptoir alors que l'homme était déjà dans la salle à l'attendre, ne pouvant sans doute échapper encore au cérémonial de leurs premières rencontres, s'y conformant d'instinct. Elle commanda du vin, dans l'épouvante encore. La patronne, qui tricotait sa laine rouge derrière le comptoir, remarqua qu'ils ne s'abordèrent que longtemps après qu'elle fut rentrée et que leur apparente ignorance l'un de l'autre se prolongea plus que la veille encore. Qu'après même que l'enfant eut rejoint son nouvel ami, elle dura.

— Je voudrais un autre verre de vin, réclama Anne Desbaresdes.

On le lui servit dans la désapprobation. Cependant, lorsque l'homme se leva, alla vers elle et la ramena dans la pénombre de l'arrière-salle, le tremblement des mains s'était déjà atténué. Le visage était revenu de sa pâleur habituelle.

— Je n'ai pas l'habitude, expliqua-t-elle, d'aller si loin de chez moi. Mais ce n'est pas de la peur. Ce serait plutôt, il me semble, de la surprise, comme de la surprise.

— Ça pourrait être de la peur. On va le savoir, dans la ville, tout se sait de la même façon, ajouta l'homme en riant.

Dehors, l'enfant cria de satisfaction parce que deux remorqueurs arrivaient côte à côte vers le bassin. Anne Desbaresdes sourit.

— Que je bois du vin en votre compagnie, termina-t-elle — elle rit subitement dans un éclat —, mais pourquoi ai-je tant envie de rire aujourd'hui ?

Il s'approcha de son visage assez près, posa ses mains contre les siennes sur la table, cessa de rire avec elle.

— La lune était presque pleine cette nuit. On voyait bien votre jardin, comme il est bien entretenu, lisse comme un miroir. C'était tard. Le grand couloir du premier étage était encore allumé.

— Je vous l'ai dit, parfois je dors mal.

Il joua à faire tourner son verre dans sa main afin de lui faciliter les choses, de lui laisser l'aise, comme il crut comprendre qu'elle le désirait, de le regarder mieux. Elle le regarda mieux.

— Je voudrais boire un peu de vin — elle réclama plaintivement, comme déjà lésée. Je ne savais pas que l'habitude vous en venait si vite. Voilà que je l'ai presque, déjà.

Il commanda le vin. Ils le burent ensemble avec avidité, mais cette fois rien ne pressa Anne Desbaresdes de boire, que son penchant naissant pour l'ivresse de ce vin. Elle attendit un moment après l'avoir bu et, avec la voix douce et fautive de l'excuse, elle recommença à questionner cet homme.

— Je voudrais que vous me disiez maintenant comment ils en sont arrivés à ne plus même se parler.

L'enfant arriva dans l'encadrement de la porte, s'assura qu'elle était encore là, s'en alla de nouveau.

— Je ne sais rien. Peut-être par de longs silences qui s'installaient entre eux, la nuit, un peu n'importe quand ensuite, et qu'ils étaient de moins en moins capables de surmonter par rien, rien.

Le même trouble que la veille ferma les yeux d'Anne Desbaresdes, lui fit, de même, courber les épaules d'accablement.

— Une certaine nuit, ils tournent et retournent dans la chambre, ils deviennent comme des bêtes enfermées, ils ne savent pas ce qui leur arrive. Ils commencent à s'en douter, ils ont peur.

— Rien ne les satisfait plus.

— Ce qui est en train de se passer, ils en sont débordés, ils ne savent pas le dire tout de suite. Peut-être qu'il leur faudra des mois, pour le savoir.

Il attendit un instant avant de lui parler de nouveau. Il but un verre entier de vin. Pendant qu'il buvait, dans ses yeux levés le couchant passa avec la précision du hasard. Elle le vit.

— Devant une certaine fenêtre du premier étage, dit-il, il y a un hêtre qui est parmi les plus beaux arbres du parc.

— Ma chambre. C'est une grande chambre.

Sa bouche à lui fut humide d'avoir bu et elle eut à son tour, dans la douce lumière, une implacable précision.

— Une chambre calme, dit-on, la meilleure.

— En été, ce hêtre me cache la mer. J'ai demandé qu'un jour on l'enlève de là, qu'on l'abatte. Je n'ai pas dû assez insister.

Il chercha à voir l'heure au-dessus du comptoir.

— Dans un quart d'heure, ça sera la fin du travail, et vous rentrerez très vite après. Nous avons vraiment très peu de temps. Je crois, ça n'a pas d'importance, que ce hêtre soit là ou non. A votre place, je le laisserai grandir avec son ombre chaque année un peu plus épaisse sur les murs de cette chambre qu'on appelle la vôtre, m'a-t-il semblé comprendre, par erreur.

Elle s'adossa de tout son buste à la chaise, d'un mouvement entier, presque vulgaire, se détourna de lui.

— Mais, parfois, son ombre est comme de l'encre noire, protesta-t-elle doucement.

— Ça ne fait rien, je crois.

Il lui tendit un verre de vin tout en riant.

— Cette femme était devenue une ivrogne. On la trouvait le soir dans les bars de l'autre côté de l'arsenal, ivre morte. On la blâmait beaucoup.

Anne Desbaresdes feignit un étonnement exagéré.

— Je m'en doutais, mais pas à ce point. Peut-être dans leur cas était-ce nécessaire ?

— Je le sais aussi mal que vous. Parlez-moi.

— Oui — elle chercha, loin. Parfois aussi, le samedi, un ou deux ivrognes passent boulevard de la Mer. Ils chantent très fort ou ils font des discours. Ils vont jusqu'aux dunes, au dernier réverbère, et ils reviennent, toujours en chantant. En général, ils passent tard, lorsque tout le monde déjà dort. Ils s'égarent courageusement dans cette partie de la ville si déserte, si vous saviez.

— Vous êtes couchée dans cette grande chambre très calme, vous les entendez. Il règne dans cette chambre un désordre fortuit qui ne vous est pas particulier. Vous y étiez couchée, vous l'étiez.

Anne Desbaresdes se rétracta et, comme à son habitude parfois, s'alanguit. Sa voix la quitta. Le tremblement des mains recommença un peu.

— Ce boulevard va être prolongé au-delà des dunes, dit-elle, on parle d'un projet prochain.

— Vous y étiez couchée. Personne ne le savait. Dans dix minutes, ça va être la fin du travail.

— Je le savais, dit Anne Desbaresdes, et... ces dernières années, à quelque heure que ce soit, je le savais toujours, toujours...

— Endormie ou réveillée, dans une tenue décente ou non, on passait outre à votre existence.

Anne Desbaresdes se débattit, coupable, et l'acceptant cependant.

— Vous ne devriez pas, dit-elle, je me rappelle, tout peut arriver...

— Oui.

Elle ne cessa plus de regarder sa bouche seule désormais dans la lumière restante du jour.

— De loin, enfermé comme il est, face à la mer, dans le plus beau quartier de la ville, on pourrait se tromper sur ce jardin. Au mois de juin de l'année dernière, il y aura un an dans quelques jours, vous vous teniez face à lui, sur le perron, prête à nous accueillir, nous, le personnel des Fonderies. Au-dessus de vos seins à moitié nus, il y avait une fleur blanche de magnolia. Je m'appelle Chauvin.

Elle reprit sa pose coutumière, face à lui, accoudée à la table. Son visage chavirait déjà sous l'effet du vin.

— Je le savais. Et aussi que vous êtes parti des Fonderies sans donner de raisons et que vous ne pourrez manquer d'y revenir bientôt, aucune autre maison de cette ville ne pouvant vous employer.

— Parlez-moi encore. Bientôt, je ne vous demanderai plus rien.

Anne Desbaresdes récita presque scolairement, pour commencer, une leçon qu'elle n'avait jamais apprise.

— Quand je suis arrivée dans cette maison, les troènes y étaient déjà. Il y en a beaucoup. Quand l'orage approche, ils grincent comme l'acier. D'y être habituée, tenez, c'est comme si on entendait son cœur. J'y suis habituée. Ce que vous m'avez dit sur cette femme est faux, qu'on la trouvait ivre morte dans les bars du quartier de l'arsenal.

La sirène retentit, égale et juste, assourdissant la ville entière. La patronne vérifia son heure, rangea son tricot rouge. Chauvin parla aussi calmement que s'il n'avait pas entendu.

— Beaucoup de femmes ont déjà vécu dans cette même maison qui entendaient les troènes, la nuit, à la place de leur cœur. Toujours les troènes y étaient déjà. Elles sont toutes mortes dans leur chambre, derrière ce hêtre qui, contrairement à ce que vous croyez, ne grandit plus.

— C'est aussi faux que ce que vous m'avez dit sur cette femme ivre morte tous les soirs.

— C'est aussi faux. Mais cette maison est énorme. Elle s'étend sur des centaines de mètres carrés. Et elle est tellement ancienne aussi qu'on peut tout supposer. Il doit arriver qu'on y prenne peur.

Le même émoi la brisa, lui ferma les yeux. La patronne se leva, remua, rinça des verres.

— Dépêchez-vous de parler. Inventez.

Elle fit un effort, parla presque haut dans le café encore désert.

— Ce qu'il faudrait c'est habiter une ville sans arbres les arbres crient lorsqu'il y a du vent ici il y en a toujours toujours à l'exception de deux jours par an à votre place voyez-vous je m'en irais d'ici je n'y resterais pas tous les oiseaux ou presque sont des oiseaux de mer qu'on trouve crevés après les orages et quand l'orage cesse que les arbres ne crient plus on les entend crier eux sur la plage comme des égorgés ça empêche les enfants de dormir non moi je m'en irais.

Elle s'arrêta, les yeux encore fermés par la peur. Il la regarda avec une grande attention.

— Peut-être, dit-il, que nous nous trompons, peut-être a-t-il eu envie de la tuer très vite, dès les premières fois qu'il l'a vue. Parlez-moi.

Elle n'y arriva pas. Ses mains recommencèrent à trembler, mais pour d'autres raisons que la peur et que l'émoi dans lequel la jetait toute allusion à son existence. Alors, il parla à sa place, d'une voix redevenue tranquille.

— C'est vrai que, lorsque le vent cesse dans cette ville, c'est tellement rare qu'on en est comme étouffé. Je l'ai déjà remarqué.

Anne Desbaresdes n'écoutait pas.

— Morte, dit-elle, elle en souriait encore de joie.

Des cris et des rires d'enfants éclatèrent dehors, qui saluaient le soir comme une aurore. Du côté sud de la ville, d'autres cris, adultes ceux-là, de liberté, s'élevèrent, qui relayèrent le sourd bourdonnement des fonderies.

— La brise revient toujours, continua Anne Desbaresdes, d'une voix fatiguée, toujours et, je ne sais pas si vous l'avez remarqué, différemment suivant les jours, parfois tout d'un coup, surtout au coucher du soleil, parfois, au contraire, très lentement, mais alors seulement quand il fait très chaud, et à la fin de la nuit, vers quatre heures du matin, à l'aube. Les troènes crient, vous comprenez, c'est comme ça que je le sais.

— Vous savez tout sur ce seul jardin qui est à peu de choses près tout à fait pareil aux autres du boulevard de la Mer. Quand les troènes crient, en été, vous fermez votre fenêtre pour ne plus les entendre, vous êtes nue à cause de la chaleur.

— Je voudrais du vin, le pria Anne Desbaresdes, toujours j'en voudrais...

Il commanda le vin.

— Il y a dix minutes que c'est sonné, les avertit la patronne en les servant.

Un premier homme arriva, but au comptoir le même vin.

— A l'angle gauche de la grille, continua Anne Desbaresdes à mi-voix, vers le nord il y a un hêtre pourpre d'Amérique, je ne sais pas pourquoi du tout...

L'homme qui était au bar reconnut Chauvin, lui fit un signe de tête un peu gêné. Chauvin ne le vit pas.

— Dites-moi encore, dit Chauvin, vous pouvez me dire n'importe quoi.

L'enfant surgit, les cheveux en désordre, essoufflé. Les rues qui aboutissaient à cette avancée du quai résonnèrent de pas d'hommes.

— Maman, dit l'enfant.

— Dans deux minutes, dit Chauvin, elle va s'en aller.

L'homme qui était au bar essaya de caresser au passage les cheveux de l'enfant — celui-ci s'enfuit, sauvagement.

— Un jour, dit Anne Desbaresdes, j'ai eu cet enfant-là.

Une dizaine d'ouvriers firent irruption dans le café. Quelques-uns reconnurent Chauvin. Chauvin ne les vit encore pas.

— Quelquefois, continua Anne Desbaresdes, quand cet enfant dort, le soir je descends dans ce jardin, je m'y promène. Je vais aux grilles, je regarde le boulevard. Le soir, c'est très calme, surtout l'hiver. En été, parfois, quelques couples passent et repassent, enlacés, c'est tout. On a choisi cette maison parce qu'elle est calme, la plus calme de la ville. Il faut que je m'en aille.

Chauvin se recula sur sa chaise, prit son temps.

— Vous allez aux grilles, puis vous les quittez, puis vous faites le tour de votre maison, puis vous revenez encore aux grilles. L'enfant, là-haut, dort. Jamais vous n'avez crié. Jamais.

Elle remit sa veste sans répondre. Il l'aida. Elle se leva et, une fois de plus, resta là, debout près de la table, à son côté, à fixer les hommes du comptoir sans les voir. Certains tentèrent de faire à Chauvin un signe de reconnaissance, mais en vain. Il regardait le quai.

Anne Desbaresdes sortit enfin de sa torpeur.

— Je vais revenir, dit-elle.

— Demain.

Il l'accompagna à la porte. Des groupes d'hommes arrivaient, pressés. L'enfant les suivait. Il courut vers sa mère, lui prit la main et l'entraîna résolument. Elle le suivit.

Il lui raconta qu'il avait un nouvel ami, ne s'étonna pas qu'elle ne lui répondît pas. Face à la plage désertée — il était plus tard que la veille — il s'arrêta pour voir les vagues qui battaient assez fort ce soir-là. Puis il repartit.

— Viens.

Elle suivit son mouvement, repartit à son tour.

— Tu marches lentement, pleurnicha-t-il, et il fait froid.

— Je ne peux pas aller plus vite.

Elle se pressa autant qu'elle put. La nuit, la fatigue, et l'enfance, firent qu'il se blottit contre elle, sa mère, et qu'ils marchèrent ainsi, ensemble. Mais, comme elle voyait mal au loin, à cause de son ivresse, elle évita de regarder vers la fin du boulevard de la Mer, afin de ne pas se laisser décourager par une aussi longue distance.

V

— Tu t'en souviendras, dit Anne Desbaresdes, ça veut dire modéré et chantant.

— Modéré et chantant, répéta l'enfant.

A mesure que l'escalier montait, des grues s'élevèrent dans le ciel vers le sud de la ville, toutes en des mouvements identiques dont les temps divers s'entrecroisaient.

— Je ne veux plus qu'on te gronde, sans ça j'en meurs.

— Je veux plus, moi aussi. Modéré et chantant.

Une pelle géante, baveuse de sable mouillé, passa devant la dernière fenêtre de l'étage, ses dents de bête affamée fermées sur sa proie.

— La musique, c'est nécessaire, et tu dois l'apprendre, tu comprends ?

— Je comprends.

L'appartement de Mademoiselle Giraud était suffisamment haut, au cinquième étage de l'immeuble, pour que le champ de ses fenêtres donnât de très loin sur la mer. A part le vol des mouettes, rien ne s'y profilait donc aux yeux des enfants.

— Alors, vous avez su ? Un crime, passionnel, oui. Asseyez-vous, Madame Desbaresdes, je vous en prie.

— Qu'est-ce que c'était ? demanda l'enfant.

— Vite, la sonatine, dit Mademoiselle Giraud.

L'enfant se mit au piano. Mademoiselle Giraud s'installa auprès de lui, le crayon à la main. Anne Desbaresdes s'assit à l'écart, près de la fenêtre.

— La sonatine. Cette jolie petite sonatine de Diabelli, vas-y. Quelle mesure, cette jolie petite sonatine ? Dis-le.

Au son de cette voix, aussitôt l'enfant se rétracta. Il eut l'air de réfléchir, prit son temps, et peut-être mentit-il.

— Modéré et chantant, dit-il.

Mademoiselle Giraud croisa les bras, le regarda en soupirant.

— Il le fait exprès. Il n'y a pas d'autre explication.

L'enfant ne broncha pas. Ses deux petites mains fermées posées sur ses genoux, il attendait la consommation de son supplice, seulement satisfait de l'inéluctabilité, de son fait à lui, de sa répétition.

— Les journées allongent, dit doucement Anne Desbaresdes, à vue d'œil.

— Effectivement, dit Mademoiselle Giraud.

Le soleil, plus haut que la dernière fois à cette même heure, en témoignait. De plus, la journée avait été assez belle pour qu'une brume recouvrît le ciel, légère, certes, mais précoce cependant.

— J'attends que tu le dises.

— Il n'a peut-être pas entendu.

— Il a parfaitement entendu. Vous ne comprendrez jamais une chose, c'est qu'il le fait exprès, Madame Desbaresdes.

L'enfant tourna un peu la tête vers la fenêtre. Il resta ainsi, de biais, à regarder la moire, sur le mur, du soleil reflété par la mer. Seule, sa mère pouvait voir ses yeux.

— Ma petite honte, mon trésor, dit-elle tout bas.

— Quatre temps, dit l'enfant, sans effort, sans bouger.

Ses yeux étaient à peu près de la couleur du ciel, ce soir-là, à cette chose près qu'il y dansait l'or de ses cheveux.

— Un jour, dit la mère, un jour il le saura, il le dira sans hésiter, c'est inévitable. Même s'il ne le veut pas, il le saura.

Elle rit gaiement, silencieusement.

— Vous devriez avoir honte, Madame Desbaresdes, dit Mademoiselle Giraud.

— On le dit.

Mademoiselle Giraud déplia ses bras, frappa le clavier de son crayon, comme elle faisait d'habitude depuis trente ans d'enseignement, et elle cria.

— Tes gammes. Tes gammes pendant dix minutes. Pour t'apprendre. Do majeur pour commencer.

L'enfant se remit face au piano. Ses mains se levèrent ensemble, se posèrent ensemble avec une docilité triomphante.

Une gamme en do majeur couvrit la rumeur de la mer.

— Encore, encore. C'est la seule façon.

L'enfant recommença encore d'où il était parti la première fois, à la hauteur exacte et mystérieuse du clavier d'où il fallait qu'il le fît. Une deuxième, une troisième gamme en do majeur s'éleva dans la colère de cette dame.

— J'ai dit, dix minutes. Encore.

L'enfant se retourna vers Mademoiselle Giraud, la regarda, tandis que ses mains restaient abandonnées sur le clavier, mollement.

— Pourquoi ? demanda-t-il.

Le visage de Mademoiselle Giraud, de colère, s'enlaidit tant que l'enfant se retourna face au piano. Il remit ses mains en place et se figea dans une pose scolaire apparemment parfaite, mais sans jouer.

— Ça alors, c'est trop fort.

— Ils n'ont pas demandé à vivre, dit la mère — elle rit encore — et voilà qu'on leur apprend le piano en plus, que voulez-vous.

Mademoiselle Giraud haussa les épaules, ne répondit pas directement à cette femme, ne répondit à personne en particulier, reprit son calme et dit pour elle seule :

— C'est curieux, les enfants finiraient par vous faire devenir méchants.

— Mais un jour il saura ses gammes aussi — Anne Desbaresdes se fit réconfortante —, il les saura aussi parfaitement que sa mesure, c'est inévitable, il en sera même fatigué à force de les savoir.

— L'éducation que vous lui donnez, Madame, est une chose affreuse, cria Mademoiselle Giraud.

D'une main elle prit la tête de l'enfant, lui tourna, lui mania la tête, le força à la voir. L'enfant baissa les yeux.

— Parce que je l'ai décidé. Et insolent par-dessus le marché. Sol majeur trois fois, s'il te plaît. Et avant, do majeur encore une fois.

L'enfant recommença une gamme en do majeur. Il la joua à peine plus négligemment que les fois précédentes. Puis, de nouveau, il attendit.

— Sol majeur j'ai dit, maintenant, sol majeur.

Les mains se retirèrent du clavier. La tête se baissa résolument. Les petits pieds ballants, encore bien loin des pédales, se frottèrent l'un contre l'autre dans la colère.

— Tu n'as peut-être pas entendu ?

— Tu as entendu, dit la mère, j'en suis sûre.

L'enfant, à la tendresse de cette voix-là, ne résistait pas encore. Sans répondre, il souleva une fois de plus ses mains, les posa sur le clavier à l'endroit précis où il fallait qu'il le fît. Une, puis deux gammes en sol majeur s'élevèrent dans l'amour de la mère. Du côté de l'arsenal, la sirène annonça la fin du travail. La lumière baissa un peu. Les gammes furent si parfaites que la dame en convint.

— Puis, en plus du caractère, ça lui fait les doigts, dit-elle.

— Il est vrai, dit tristement la mère.

Mais, avant la troisième gamme en sol majeur, l'enfant s'arrêta une nouvelle fois.

— J'ai dit trois fois. Trois.

L'enfant, cette fois, retira ses mains du clavier, les posa sur ses genoux et dit :

— Non.

Le soleil commença à s'incliner de telle façon que la mer, d'un seul coup, obliquement, s'illumina. Un grand calme s'empara de Mademoiselle Giraud.

— Je ne peux rien vous dire d'autre que ceci : je vous plains.

L'enfant, subrepticement, glissa un regard vers cette femme tant à plaindre et qui riait. Puis il resta fixé à son poste, le dos nécessairement tourné à la mer. L'heure fléchit vers le soir, la brise qui se levait traversa la chambre, contradictoire, fit frémir l'herbe des cheveux de cet enfant obstiné. Les petits pieds, sous le piano, se mirent à danser à petits coups, en silence.

— Qu'est-ce que ça peut faire une fois de plus, une seule gamme, dit la mère en riant, une seule fois de plus ?

L'enfant se retourna vers elle seule.

— J'aime pas les gammes.

Mademoiselle Giraud les regarda tous les deux, alternativement, sourde à leurs propos, découragée de l'indignation même.

— J'attends, moi.

L'enfant se remit face au piano, mais de biais, le plus loin qu'il pouvait se le permettre de cette dame.

— Mon amour, dit sa mère, une fois encore.

Les cils battirent sous l'appellation. Cependant, il hésita encore.

— Plus les gammes, alors.

— Justement les gammes, tu vois.

Il hésita puis, alors qu'elles en désespéraient tout à fait, il s'y décida. Il joua. Mais l'isolement désespéré de Mademoiselle Giraud resta un instant égal à lui-même.

— Voyez-vous, Madame Desbaresdes, je ne sais pas si je pourrai continuer à m'en occuper.

La gamme en sol majeur fut de nouveau exacte, peut-être plus rapide cette fois que la fois précédente, mais d'un rien.

— C'est une question de mauvaise volonté, dit la mère, j'en conviens.

La gamme se termina. L'enfant, dans le désintérêt parfait du moment qui passait, se releva légèrement de son tabouret et tenta l'impossible, d'apercevoir ce qui se passait en bas, sur le quai.

— Je lui expliquerai qu'il le faut, dit la mère, faussement repentante.

Mademoiselle Giraud se fit déclamatoire et attristée.

— Vous n'avez rien à lui expliquer. Il n'a pas à choisir de faire ou non du piano, Madame Desbaresdes, c'est ce qu'on appelle l'éducation.

Elle frappa sur le piano. L'enfant abandonna sa tentative.

— Ta sonatine maintenant, dit-elle, lassée. Quatre temps.

L'enfant la joua comme les gammes. Il la savait bien. Et malgré sa mauvaise volonté, de la musique fut là, indéniablement.

— Que voulez-vous, continua Mademoiselle Giraud, par-dessus la sonatine, il y a des enfants avec lesquels il faut être très sévère, sans ça on n'en sort pas.

— J'essaierai, dit Anne Desbaresdes.

Elle écoutait la sonatine. Elle venait du tréfonds des âges, portée par son enfant à elle. Elle manquait souvent, à l'entendre, aurait-elle pu croire, s'en évanouir.

— Ce qu'il y a, voyez-vous, c'est qu'il se croit permis de ne pas aimer faire du piano. Mais je sais bien que ce que je vous dis ou rien, c'est la même chose, Madame Desbaresdes.

— J'essaierai.

La sonatine résonna encore, portée comme une plume par ce barbare, qu'il le voulût ou non, et elle s'abattit de nouveau sur sa mère, la condamna de nouveau à la damnation de son amour. Les portes de l'enfer se refermèrent.

— Recommence et bien en mesure, cette fois, plus lentement.

Le jeu se ralentit et se ponctua, l'enfant se laissa prendre à son miel. De la musique sortit, coula de ses doigts sans qu'il parût le vouloir, en décider, et sournoisement elle s'étala dans le monde une fois de plus, submergea le cœur d'inconnu, l'exténua. Sur le quai, en bas, on l'entendit.

— Il y a un mois qu'il est dessus, dit la patronne. Mais c'est joli.

Un premier groupe d'hommes arrivait vers le café.

— Oui, il y a bien un mois, reprit la patronne. Je le sais par cœur.

Chauvin, au bout du comptoir, était encore le seul client. Il regarda l'heure, s'étira d'aise et fredonna la sonatine dans le même temps que l'enfant la jouait. La patronne le dévisagea bien tout en sortant ses verres de dessous le comptoir.

— Vous êtes jeune, dit-elle.

Elle calcula le temps qui lui restait avant que le premier groupe de clients atteigne le café. Elle le prévint vite, mais avec bonté.

— Quelquefois, voyez-vous, quand il fait beau, il me semble bien qu'elle fait le tour de l'autre côté, par le deuxième bassin, qu'elle ne passe pas par ici chaque fois.

— Non, dit l'homme en riant.

Le groupe d'hommes passa la porte.

— Un, deux, trois, quatre, comptait Mademoiselle Giraud. C'est bien.

La sonatine se faisait sous les mains de l'enfant — celui-ci absent — mais elle se faisait et se refaisait, portée par son indifférente maladresse jusqu'aux confins de sa puissance. A mesure qu'elle s'échafaudait, sensiblement la lumière du jour diminua. Une monumentale presqu'île de nuages incendiés surgit à l'horizon dont la splendeur fragile et fugace forçait la pensée vers d'autres voies. Dans dix minutes, en effet, s'évanouirait tout à fait de l'instant toute couleur du jour. L'enfant termina sa tâche pour la troisième fois. Le bruit de la mer mêlé aux voix des hommes qui arrivaient sur le quai monta jusqu'à la chambre.

— Par cœur, dit Mademoiselle Giraud, la prochaine fois, c'est par cœur qu'il faudra que tu la saches, tu entends.

— Par cœur, bon.
— Je vous le promets, dit la mère.
— Il faut que ça change, il se moque de moi, c'est criant.
— Je vous le promets.
Mademoiselle Giraud réfléchit, n'écoutait pas.
— On pourrait essayer, dit-elle, qu'une autre que vous l'accompagne à ses leçons de piano, Madame Desbaresdes. On verrait bien ce que ça donnerait.
— Non, cria l'enfant.
— Je crois que je le supporterais très mal, dit Anne Desbaresdes.
— Je crains fort qu'on soit quand même obligé d'y arriver, dit Mademoiselle Giraud.
Dans l'escalier, une fois la porte refermée, l'enfant s'arrêta.
— Tu as vu, elle est méchante.
— Tu le fais exprès ?
L'enfant contempla tout le peuple de grues maintenant immobilisé en plein ciel. Au loin, les faubourgs de la ville s'illuminèrent.
— Je sais pas, dit l'enfant.
— Mais que je t'aime.
L'enfant descendit lentement tout à coup.
— Je voudrais plus apprendre le piano.
— Les gammes, dit Anne Desbaresdes, je ne les ai jamais sues, comment faire autrement ?

VI

Anne Desbaresdes n'entra pas, s'arrêta à la porte du café. Chauvin vint vers elle. Quand il l'eut atteinte, elle se tourna dans la direction du boulevard de la Mer.

— Comme il y a déjà du monde, se plaignit-elle doucement. Ces leçons de piano finissent tard.

— J'ai entendu cette leçon, dit Chauvin.

L'enfant dégagea sa main, s'enfuit sur le trottoir, désireux de courir comme chaque fois, à cette heure-là du vendredi soir. Chauvin leva la tête vers le ciel encore faiblement éclairé, bleu sombre, et il se rapprocha d'elle qui ne recula pas.

— Bientôt l'été, dit-il. Venez.

— Mais dans ces régions-ci on le sent à peine.

— Parfois, si. Vous le savez. Ce soir.

L'enfant sautait par-dessus des cordages en chantant la sonatine de Diabelli. Anne Desbaresdes suivit Chauvin. Le café était plein. Les hommes buvaient leur vin aussitôt servi, un devoir, et ils s'en allaient chez eux, pressés. D'autres les relayaient qui arrivaient d'ateliers plus lointains.

Aussitôt entrée, Anne Desbaresdes se cabra près de la porte. Chauvin se retourna vers elle, l'encouragea d'un sourire. Ils arrivèrent à l'extrémité la moins en vue du long comptoir et elle but très vite son verre de vin, comme les hommes. Le verre tremblait encore dans sa main.

— Il y a maintenant sept jours, dit Chauvin.

— Sept nuits, dit-elle comme au hasard. Comme c'est bon, le vin.

— Sept nuits, répéta Chauvin.

Ils quittèrent le comptoir, il l'entraîna au fond de la salle, la fit asseoir à l'endroit où il le désirait. Des hommes au bar regardèrent encore cette femme, s'étonnèrent encore, mais de loin. La salle était calme.

— Alors, vous avez entendu ? Toutes ces gammes qu'elle lui fait faire ?

— C'était tôt. Il n'y avait encore aucun client. Les fenêtres devaient être ouvertes sur le quai. J'ai tout entendu, même les gammes.

Elle lui sourit, reconnaissante, but de nouveau. Les mains, sur le verre, ne tremblèrent plus qu'à peine.

— Je me suis mis dans la tête qu'il fallait qu'il sache la musique, vous comprenez, depuis deux ans.

— Mais je comprends. Alors, ce grand piano, à gauche, en entrant dans le salon ?

— Oui. — Anne Desbaresdes serra ses poings, se força au calme. — Mais il est si petit encore, si petit, si vous saviez, quand on y pense, je me demande si je n'ai pas tort.

Chauvin rit. Ils étaient encore seuls à être attablés dans le fond de la salle. Le nombre des clients au comptoir diminuait.

— Vous savez qu'il sait parfaitement ses gammes ?

Anne Desbaresdes rit, elle aussi, cette fois à pleine gorge.

— C'est vrai qu'il les sait. Même cette femme

en convient, voyez-vous... je me fais des idées. Ah... je pourrais en rire...

Tandis qu'elle riait encore mais que le flot de son rire commençait à baisser, Chauvin lui parla d'autre manière.

— Vous étiez accoudée à ce grand piano. Entre vos seins nus sous votre robe, il y a cette fleur de magnolia.

Anne Desbaresdes, très attentivement, écouta cette histoire.

— Oui.

— Quand vous vous penchez, cette fleur frôle le contour extérieur de vos seins. Vous l'avez négligemment épinglée, trop haut. C'est une fleur énorme, vous l'avez choisie au hasard, trop grande pour vous. Ses pétales sont encore durs, elle a justement atteint la nuit dernière sa pleine floraison.

— Je regarde dehors ?

— Buvez encore un peu de vin. L'enfant joue dans le jardin. Vous regardez dehors, oui.

Anne Desbaresdes but comme il le lui demandait, chercha à se souvenir, revint d'un profond étonnement.

— Je ne me souviens pas d'avoir cueilli cette fleur. Ni de l'avoir portée.

— Je ne vous regardais qu'à peine, mais j'ai eu le temps de la voir aussi.

Elle s'occupa à tenir le verre très fort, devint ralentie dans ses gestes et dans sa voix.

— Comme j'aime le vin, je ne savais pas.

— Maintenant, parlez-moi.

— Ah, laissez-moi, supplia Anne Desbaresdes.

— Nous avons sans doute si peu de temps que je ne peux pas.

Le crépuscule s'était déjà tellement avancé que

seul le plafond du café recevait encore un peu de clarté. Le comptoir était violemment éclairé, la salle était dans son ombre. L'enfant surgit, courant, ne s'étonna pas de l'heure tardive, annonça :

— L'autre petit garçon est arrivé.

Dans l'instant qui suivit son départ, les mains de Chauvin s'approchèrent de celles d'Anne Desbaresdes. Elles furent toutes quatre sur la table, allongées.

— Comme je vous le disais, parfois, je dors mal. Je vais dans sa chambre et je le regarde longtemps.

— Parfois encore ?

— Parfois encore, c'est l'été et il y a quelques promeneurs sur le boulevard. Le samedi soir surtout, parce que sans doute les gens ne savent que faire d'eux-mêmes dans cette ville.

— Sans doute, dit Chauvin. Surtout des hommes. De ce couloir, ou de votre jardin, ou de votre chambre, vous les regardez souvent.

Anne Desbaresdes se pencha et le lui dit enfin.

— Je crois, en effet, que je les ai souvent regardés, soit du couloir, soit de ma chambre, lorsque certains soirs je ne sais quoi faire de moi.

Chauvin proféra un mot à voix basse. Le regard d'Anne Desbaresdes s'évanouit lentement sous l'insulte, s'ensommeilla.

— Continuez.

— En dehors de ces passages, les journées sont à heure fixe. Je ne peux pas continuer.

— Nous avons très peu de temps devant nous, continuez.

— Les repas, toujours, reviennent. Et les soirs. Un jour, j'ai eu l'idée de ces leçons de piano.

Ils finirent leur vin. Chauvin en commanda d'autre. Le nombre des hommes au comptoir diminua encore. Anne Desbaresdes but de nouveau comme une assoiffée.

— Déjà sept heures, prévint la patronne.

Ils n'entendirent pas. Il fit nuit. Quatre hommes entrèrent dans la salle du fond, ceux-là décidés à perdre leur temps. La radio informa le monde du temps qu'il ferait le lendemain.

— J'ai eu l'idée de ces leçons de piano, je vous disais, à l'autre bout de la ville, pour mon amour, et maintenant je ne peux plus les éviter. Comme c'est difficile. Voyez, sept heures déjà.

— Vous allez arriver plus tard que d'habitude dans cette maison, vous y arriverez plus tard, peut-être trop tard, c'est inévitable. Faites-vous à cette idée.

— On ne peut pas éviter les heures fixes, comment faire autrement ? Je pourrais vous dire que je suis déjà en retard sur l'heure du dîner si je compte tout le chemin que j'ai à faire. Et aussi, j'oubliais, que ce soir il y a dans cette maison une réception à laquelle je suis tenue d'être présente.

— Vous savez que vous ne pourrez faire autrement que d'y arriver en retard, vous le savez ?

— Je ne pourrais pas faire autrement. Je sais.

Il attendit. Elle lui parla sur le ton d'une paisible diversion.

— Je pourrais vous dire que j'ai parlé à mon enfant de toutes ces femmes qui ont vécu derrière ce hêtre et qui sont maintenant mortes, mortes, et qu'il m'a demandé de les voir, mon trésor. Je viens de vous dire ce que je pourrais vous dire, voyez.

— Vous avez immédiatement regretté de lui avoir parlé de ces femmes et vous lui avez raconté quelles seraient ses vacances cette année, dans quelques jours, au bord d'une autre mer que celle-ci ?

— Je lui ai promis des vacances dans un pays chaud au bord de la mer. Dans quinze jours. Il était inconsolable de la mort de ces femmes.

Anne Desbaresdes de nouveau but du vin, le trouva fort. Ses yeux en furent embués alors qu'elle souriait.

— Le temps passe, dit Chauvin. Vous êtes de plus en plus en retard.

— Quand le retard devient tellement important, dit Anne Desbaresdes, qu'il atteint le degré où il en est maintenant pour moi, je crois que ça ne doit plus changer rien à ses conséquences que de l'aggraver encore davantage ou pas.

Il ne resta plus qu'un seul client au comptoir. Dans la salle, les quatre autres parlaient par intermittence. Un couple arriva. La patronne le servit et reprit son tricot rouge délaissé jusque-là à cause de l'affluence. Elle baissa la radio. La mer, assez forte ce soir-là, se fit entendre contre les quais, à travers des chansons.

— Du moment qu'il avait compris qu'elle désirait tant qu'il le fasse, je voudrais que vous me disiez pourquoi il ne l'a pas fait, par exemple, un peu plus tard ou... un peu plus tôt.

— Vous savez, je sais très peu de choses. Mais je crois qu'il ne pouvait pas arriver à avoir une préférence, il ne devait pas en sortir, de la vouloir autant vivante que morte. Il a dû réussir très tard seulement à se la préférer morte. Je ne sais rien.

Anne Desbaresdes se replia sur elle-même, le visage hypocritement baissé mais pâli.

— Elle avait beaucoup d'espoir qu'il y arriverait.

— Il me semble que son espoir à lui d'y arriver devait être égal au sien. Je ne sais rien.

— Le même, vraiment ?

— Le même. Taisez-vous.

Les quatre hommes s'en allèrent. Le couple resta là, silencieux. La femme bâilla. Chauvin commanda une nouvelle carafe de vin.

— Si on ne buvait pas tant, ce ne serait pas possible ?

— Je crois que ce ne serait pas possible, murmura Anne Desbaresdes.

Elle but son verre de vin d'un trait. Il la laissa s'empoisonner à son gré. La nuit avait envahi définitivement la ville. Les quais s'éclairèrent de leurs hauts lampadaires. L'enfant jouait toujours. Il n'y eut plus trace dans le ciel de la moindre lueur du couchant.

— Avant que je rentre, pria Anne Desbaresdes, si vous pouviez me dire, j'aimerais savoir encore un peu davantage. Même si vous n'êtes pas sûr de ne pas savoir très bien.

Chauvin raconta lentement, d'une voix neutre, inconnue jusque-là de cette femme.

— Ils habitaient une maison isolée, je crois même au bord de la mer. Il faisait chaud. Ils ne savaient pas, avant d'y aller, qu'ils en viendraient là si vite. Qu'au bout de quelques jours il serait obligé de la chasser si souvent. Très vite, il a été obligé de la chasser, loin de lui, même loin de la maison, très souvent.

— Ce n'était pas la peine.

— Ça doit être difficile d'éviter ces sortes de pensées, on doit en avoir l'habitude, comme de vivre. Mais l'habitude seulement.

— Elle, elle partait ?

— Elle s'en allait quand et comme il le voulait, malgré son désir de rester.

Anne Desbaresdes fixa cet homme inconnu sans le reconnaître, comme dans le guet, une bête.

— Je vous en prie, supplia-t-elle.

— Puis le temps est venu où quand il la regardait, parfois, il ne la voyait plus comme il l'avait jusque-là vue. Elle cessait d'être belle, laide, jeune, vieille, comparable à quiconque, même à elle-même. Il avait peur. C'était aux dernières vacances. L'hiver est venu. Vous allez rentrer boulevard de la Mer. Ça va être la huitième nuit.

L'enfant entra, se blottit contre sa mère un instant. Encore, il fredonnait la sonatine de Diabelli. Elle lui caressa les cheveux de très près de son visage, aveuglée. L'homme évita de les voir. Puis l'enfant s'en alla.

— Cette maison était donc très isolée, reprit lentement Anne Desbaresdes. Il faisait chaud, vous disiez. Quand il lui disait de s'en aller, elle obéissait toujours. Elle dormait au pied des arbres, dans les champs, comme...

— Oui, dit Chauvin.

— Quand il l'appelait, elle revenait. Et de la même façon qu'elle partait lorsqu'il la chassait. De lui obéir à ce point, c'était sa façon à elle d'espérer. Et même, lorsqu'elle arrivait sur le pas de la porte, elle attendait encore qu'il lui dise d'entrer.

— Oui.

Anne Desbaresdes pencha son visage hébété vers Chauvin, elle ne l'atteignit pas. Chauvin recula.

— C'est là, dans cette maison, qu'elle a appris ce que vous disiez qu'elle était, peut-être par exemple...

— Oui, une chienne, l'arrêta encore Chauvin.

Elle recula à son tour. Il remplit son verre, le lui tendit.

— Je mentais, dit-il.

Elle remit ses cheveux d'un désordre profond, revint à elle avec lassitude et compassion contenue.

— Non, dit-elle.

Dans la lumière du néon de la salle, elle observa attentivement la crispation inhumaine du visage de Chauvin, ne put en rassasier ses yeux. L'enfant surgit une dernière fois du trottoir.

— Maintenant, c'est la nuit, annonça-t-il.

Il bâilla longuement face à la porte, puis il retourna vers elle, mais alors il resta là, à l'abri, fredonnant.

— Voyez comme il est tard. Dites-moi encore, vite ?

— Puis le temps est venu où il crut qu'il ne pourrait plus la toucher autrement que pour...

Anne Desbaresdes releva ses mains vers son cou nu dans l'encolure de sa robe d'été.

— Que là, n'est-ce pas ?

— Là, oui.

Les mains, raisonnablement, acceptèrent d'abandonner, redescendirent du cou.

— Je voudrais que vous partiez, murmura Chauvin.

Anne Desbaresdes se leva de sa chaise, se planta au milieu de la salle, sans bouger. Chauvin resta assis, accablé, il ne la connut plus. La patronne, irrésistiblement, délaissa son tricot rouge, les observa l'un l'autre avec une indiscrétion dont ils ne s'aperçurent pas. Ce fut l'enfant qui arriva de la porte et prit la main de sa mère.

— On s'en va, viens.

Déjà le boulevard de la Mer était éclairé. Il était beaucoup plus tard que d'habitude, d'une heure au moins. L'enfant chanta une dernière fois la sonatine, puis il s'en fatigua. Les rues étaient presque désertes. Déjà les gens dînaient. Lorsqu'après le premier môle le boulevard de la Mer se profila dans toute sa longueur habituelle, Anne Desbaresdes s'arrêta.

— Je suis trop fatiguée, dit-elle.

— Mais j'ai faim, pleurnicha l'enfant.

Il vit que les yeux de cette femme, sa mère, brillaient. Il ne se plaignit plus de rien.

— Pourquoi tu pleures ?

— Ça peut arriver comme ça, pour rien.

— Je voudrais pas.

— Mon amour, c'est fini, je crois bien.

Il oublia, se mit à courir en avant, revint sur ses pas, s'amusa de la nuit dont il n'avait pas l'habitude.

— La nuit, c'est loin les maisons, dit-il.

VII

Sur un plat d'argent à l'achat duquel trois générations ont contribué, le saumon arrive, glacé dans sa forme native. Habillé de noir, ganté de blanc, un homme le porte, tel un enfant de roi, et le présente à chacun dans le silence du dîner commençant. Il est bien séant de ne pas en parler.

De l'extrémité nord du parc, les magnolias versent leur odeur qui va de dune en dune jusqu'à rien. Le vent, ce soir, est du sud. Un homme rôde, boulevard de la Mer. Une femme le sait.

Le saumon passe de l'un à l'autre suivant un rituel que rien ne trouble, sinon la peur cachée de chacun que tant de perfection tout à coup ne se brise ou ne s'entache d'une trop évidente absurdité. Dehors, dans le parc, les magnolias élaborent leur floraison funèbre dans la nuit noire du printemps naissant.

Avec le ressac du vent qui va, vient, se cogne aux obstacles de la ville, et repart, le parfum atteint l'homme et le lâche, alternativement.

Des femmes, à la cuisine, achèvent de parfaire la suite, la sueur au front, l'honneur à vif, elles écorchent un canard mort dans son linceul d'oranges. Cependant que rose, mielleux, mais déjà déformé par le temps très court qui vient de se passer, le saumon des eaux libres de l'océan continue sa marche inéluctable vers sa totale disparition et que la crainte d'un manquement quelconque au cérémonial qui accompagne celle-ci se dissipe peu à peu.

Un homme, face à une femme, regarde cette inconnue. Ses seins sont de nouveau à moitié nus. Elle ajusta hâtivement sa robe. Entre eux se fane une fleur. Dans ses yeux élargis, immodérés, des lueurs de lucidité passent encore, suffisantes pour qu'elle arrive à se servir à son tour du saumon des autres gens.

A la cuisine, on ose enfin le dire, le canard étant prêt, et au chaud, dans le répit qui s'ensuit, qu'elle exagère. Elle arriva ce soir plus tard encore qu'hier, bien après ses invités.

Ils sont quinze, ceux qui l'attendirent tout à l'heure dans le grand salon du rez-de-chaussée. Elle entra dans cet univers étincelant, se dirigea vers le grand piano, s'y accouda, ne s'excusa nullement. On le fit à sa place.

— Anne est en retard, excusez Anne.

Depuis dix ans, elle n'a pas fait parler d'elle. Si son incongruité la dévore, elle ne peut s'imaginer. Un sourire fixe rend son visage acceptable.

— Anne n'a pas entendu.

Elle pose sa fourchette, regarde alentour, cherche, essaye de remonter le cours de la conversation, n'y arrive pas.

— Il est vrai, dit-elle.

On répète. Elle passe légèrement la main dans le désordre blond de ses cheveux, comme elle le fit tout à l'heure, ailleurs. Ses lèvres sont pâles. Elle oublia ce soir de les farder.

— Excusez-moi, dit-elle, pour le moment, une petite sonatine de Diabelli.

— Une sonatine ? Déjà ?

— Déjà.

Le silence se reforme sur la question posée. Elle, elle retourne à la fixité de son sourire, une bête à la forêt.

— Moderato cantabile, il ne savait pas ?

— Il ne savait pas.

Le fleurissement des magnolias sera ce soir achevé. Sauf celui-ci, qu'elle cueillit ce soir en revenant du port. Le temps fuit, égal à lui-même, sur ce fleurissement oublié.

— Trésor, comment aurait-il pu deviner ?

— Il ne pouvait pas.

— Il dort, probablement ?

— Il dort, oui.

Lentement, la digestion commence de ce qui fut un saumon. Son osmose à cette espèce qui le mangea fut rituellement parfaite. Rien n'en troubla la gravité. L'autre attend, dans une chaleur humaine, sur son linceul d'oranges. Voici la lune qui se lève sur la mer et sur l'homme allongé. Avec difficulté on pourrait, à la rigueur, maintenant, apercevoir les masses et les formes de la nuit à travers les rideaux blancs. Madame Desbaresdes n'a pas de conversation.

— Mademoiselle Giraud, qui donne également, comme vous le savez, des leçons à mon petit garçon, me l'a racontée hier, cette histoire.

— Ah oui.

On rit. Quelque part autour de la table, une femme. Le chœur des conversations augmente peu à peu de volume et, dans une surenchère d'efforts et d'inventivités progressive, émerge une société quelconque. Des repères sont trouvés, des failles s'ouvrent où s'essayent des familiarités. Et on débouche peu à peu sur une conversation généralement partisane et particulièrement neutre. La soirée réussira. Les femmes sont au plus sûr de leur éclat. Les hommes les couvrirent de bijoux au prorata de leurs bilans. L'un d'eux, ce soir, doute qu'il eût raison.

Dans le parc correctement clos, les oiseaux dorment d'un sommeil paisible et réconfortant, car le temps est au beau. Ainsi qu'un enfant, dans une même conjugaison. Le saumon repasse dans une forme encore amoindrie. Les femmes le dévoreront jusqu'au bout. Leurs épaules nues ont la luisance et la fermeté d'une société fondée, dans ses assises, sur la certitude de son droit, et elles furent choisies à la convenance de celle-ci. La rigueur de leur éducation exige que leurs excès soient tempérés par le souci majeur de leur entretien. De celui-ci on leur en inculqua, jadis, la conscience. Elles se pourlèchent de mayonnaise, verte, comme il se doit, s'y retrouvent, y trouvent leur compte. Des hommes les regardent et se rappellent qu'elles font leur bonheur.

L'une d'entre elles contrevient ce soir à l'appétit général. Elle vient de l'autre bout de la ville, de derrière les môles et les entrepôts à huile, à l'opposé de ce boulevard de la Mer, de ce périmètre qui lui fut il y a dix ans autorisé, où un homme lui a offert du vin jusqu'à la déraison. Nourrie de ce vin, exceptée de la règle, manger l'exténuerait. Au-delà des stores blancs, la nuit et, dans la nuit, encore, car il a du temps devant lui, un homme seul regarde tantôt la mer, tantôt le parc. Puis la mer, le parc, ses mains. Il ne mange pas. Il ne pourrait pas, lui non plus, nourrir son corps tourmenté par d'autre faim. L'encens des magnolias arrive toujours sur lui, au gré du vent, et le surprend et le harcèle autant que celui d'une seule fleur. Au premier étage, une fenêtre s'est éteinte tout à l'heure et elle ne s'est pas rallumée. On a dû fermer les vitres de ce côté-là, de crainte de l'odeur excessive, la nuit, des fleurs.

Anne Desbaresdes boit, et ça ne cesse pas, le Pommard continue d'avoir ce soir la saveur anéantissante des lèvres inconnues d'un homme de la rue.

Cet homme a quitté le boulevard de la Mer, il a fait le tour du parc, l'a regardé des dunes qui, au nord, le bordent, puis il est revenu, il a redescendu le talus, il est redescendu jusqu'à la grève. Et de nouveau il s'y est allongé, à sa place. Il s'étire, reste un moment immobile face à la mer, se retourne sur lui-même et regarde une fois de plus les stores blancs devant les baies illuminées. Puis il se relève, prend un galet, vise une de ces baies, se retourne de nouveau, jette le galet dans la mer, s'allonge, s'étire encore et, tout haut, prononce un nom.

Deux femmes, dans un mouvement alterné et complémentaire, préparent le deuxième service. L'autre victime attend.

— Anne, comme vous le savez, est sans défense devant son enfant.

Elle sourit davantage. On répète. Elle lève encore la main dans le désordre blond de ses cheveux. Le cerne de ses yeux s'est encore agrandi. Ce soir, elle pleura. L'heure est arrivée où la lune s'est levée tout à fait sur la ville et sur le corps d'un homme allongé au bord de la mer.

— Il est vrai, dit-elle.

Sa main s'abaisse de ses cheveux et s'arrête à ce magnolia qui se fane entre ses seins.

— Nous sommes toutes pareilles, allez.

— Oui, prononce Anne Desbaresdes.

Le pétale de magnolia est lisse, d'un grain nu. Les doigts le froissent jusqu'à le trouer puis, interdits, s'arrêtent, se reposent sur la table, attendent, prennent une contenance, illusoire. Car on s'en est aperçu. Anne Desbaresdes s'essaye à un sourire d'excuse de n'avoir pu faire autrement, mais elle est ivre et son visage prend le faciès impudique de l'aveu. Le regard s'appesantit, impassible, mais revenu déjà douloureusement de tout étonnement. On s'y attendait depuis toujours.

Anne Desbaresdes boit de nouveau un verre de vin tout entier les yeux mi-clos. Elle en est déjà à ne plus pouvoir faire autrement. Elle découvre, à boire, une confirmation de ce qui fut jusque-là son désir obscur et une indigne consolation à cette découverte.

D'autres femmes boivent à leur tour, elles lèvent de même leurs bras nus, délectables, irréprochables, mais d'épouses. Sur la grève, l'homme siffle une chanson entendue dans l'après-midi dans un café du port.

La lune est levée et avec elle voici le commencement de la nuit tardive et froide. Il n'est pas impossible que cet homme ait froid.

Le service du canard à l'orange commence. Les femmes se servent. On les choisit belles et fortes, elles feront front à tant de chère. De doux murmures montent de leurs gorges à la vue du canard d'or. L'une d'elles défaille à sa vue. Sa bouche est desséchée par d'autre faim que rien non plus ne peut apaiser qu'à peine, le vin. Une chanson lui revient, entendue dans l'après-midi dans un café du port, qu'elle ne peut pas chanter. Le corps de l'homme sur la plage est toujours solitaire. Sa bouche est restée entrouverte sur le nom prononcé.

— Non merci.

Sur les paupières fermées de l'homme, rien ne se pose que le vent et, par vagues impalpables et puissantes, l'odeur du magnolia, suivant les fluctuations de ce vent.

Anne Desbaresdes vient de refuser de se servir. Le plat reste cependant encore devant elle, un temps très court, mais celui du scandale. Elle lève la main, comme il lui fut appris, pour réitérer son refus. On n'insiste plus. Autour d'elle, à table, le silence s'est fait.

— Voyez, je ne pourrais pas, je m'en excuse.

Elle soulève une nouvelle fois sa main à hauteur de la fleur qui se fane entre ses seins et dont l'odeur franchit le parc et va jusqu'à la mer.

— C'est peut-être cette fleur, ose-t-on avancer, dont l'odeur est si forte ?

— J'ai l'habitude de ces fleurs, non, ce n'est rien.

Le canard suit son cours. Quelqu'un en face d'elle regarde encore impassiblement. Et elle s'essaye encore à sourire, mais ne réussit encore que la grimace désespérée et licencieuse de l'aveu. Anne Desbaresdes est ivre.

On redemande si elle n'est pas malade. Elle n'est pas malade.

— C'est peut-être cette fleur, insiste-t-on, qui écœure subrepticement ?

— Non. J'ai l'habitude de ces fleurs. C'est qu'il m'arrive de ne pas avoir faim.

On la laisse en paix. La dévoration du canard commence. Sa graisse va se fondre dans d'autres corps. Les paupières fermées d'une homme de la rue tremblent de tant de patience consentie. Son corps éreinté a froid, que rien ne réchauffe. Sa bouche a encore prononcé un nom.

A la cuisine, on annonce qu'elle a refusé le canard à l'orange, qu'elle est malade, qu'il n'y a pas d'autre explication. Ici, on parle d'autre chose. Les formes vides des magnolias caressent les yeux de l'homme seul. Anne Desbaresdes prend une nouvelle fois son verre qu'on vient de remplir et boit. Le feu nourrit son ventre de sorcière contrairement aux autres. Ses seins si lourds de chaque côté de cette fleur si lourde se ressentent de sa maigreur nouvelle et lui font mal. Le vin coule dans sa bouche pleine d'un nom qu'elle ne prononce pas. Cet événement silencieux lui brise les reins.

L'homme s'est relevé de la grève, s'est approché des grilles, les baies sont toujours illuminées, prend les grilles dans ses mains, et serre. Comment n'est-ce pas encore arrivé ?

Le canard à l'orange, de nouveau, repassera. Du même geste que tout à l'heure, Anne Desbaresdes implorera qu'on l'oublie. On l'oubliera. Elle retourne à l'éclatement silencieux de ses reins, à leur brûlante douleur, à son repaire.

L'homme a lâché les grilles du parc. Il regarde ses mains vides et déformées par l'effort. Il lui a poussé, au bout des bras, un destin.

Le vent de la mer circule toujours à travers la ville, plus frais. Bien du monde dort déjà. Les fenêtres du premier étage sont toujours obscures et fermées aux magnolias sur le sommeil de l'enfant. Des bateaux rouges à moteur voguent à travers sa nuit innocente.

Quelques-uns ont repris du canard à l'orange. La conversation, de plus en plus facile, augmente à chaque minute un peu davantage encore l'éloignement de la nuit.

Dans l'éclatante lumière des lustres, Anne Desbaresdes se tait et sourit toujours.

L'homme s'est décidé à repartir vers la fin de la ville, loin de ce parc. A mesure qu'il s'en éloigne, l'odeur des magnolias diminue, faisant place à celle de la mer.

Anne Desbaresdes prendra un peu de glace au moka afin qu'on la laisse en paix.

L'homme reviendra malgré lui sur ses pas. Il retrouve les magnolias, les grilles, et les baies au loin, encore et encore éclairées. Aux lèvres, il a de nouveau ce chant entendu dans l'après-midi, et ce nom dans la bouche qu'il prononcera un peu plus fort. Il passera.

Elle, le sait encore. Le magnolia entre ses seins se fane tout à fait. Il a parcouru l'été en une heure de temps. L'homme passera outre au parc tôt ou tard. Il est passé. Anne Desbaresdes continue dans un geste interminable à supplier la fleur.

— Anne n'a pas entendu.

Elle tente de sourire davantage, n'y arrive plus. On répète. Elle lève une dernière fois la main dans le désordre blond de ses cheveux. Le cerne de ses yeux s'est encore agrandi. Ce soir, elle pleura. On répète pour elle seule et on attend.

— Il est vrai, dit-elle, nous allons partir dans une maison au bord de la mer. Il fera chaud. Dans une maison isolée au bord de la mer.

— Trésor, dit-on.

— Oui.

Alors que les invités se disperseront en ordre irrégulier dans le grand salon attenant à la salle à manger, Anne Desbaresdes s'éclipsera, montera au premier étage. Elle regardera le boulevard par la baie du grand couloir de sa vie. L'homme l'aura déjà déserté. Elle ira dans la chambre de son enfant, s'allongera par terre, au pied de son lit, sans égard pour ce magnolia qu'elle écrasera entre ses seins, il n'en restera rien. Et entre les temps sacrés de la respiration de son enfant, elle vomira là, longuement, la nourriture étrangère que ce soir elle fut forcée de prendre.

Une ombre apparaîtra dans l'encadrement de la porte restée ouverte sur le couloir, obscurcira plus avant la pénombre de la chambre. Anne Desbaresdes passera légèrement la main dans le désordre réel et blond de ses cheveux. Cette fois, elle prononcera une excuse.

On ne lui répondra pas.

VIII

Le beau temps durait encore. Sa durée avait dépassé toutes les espérances. On en parlait maintenant avec le sourire, comme on l'eût fait d'un temps mensonger qui eût caché derrière sa pérennité quelque irrégularité qui bientôt se laisserait voir et rassurerait sur le cours habituel des saisons de l'année.

Ce jour-là, même eu égard aux jours derniers, la bonté de ce temps fut telle, pour la saison bien entendu, que lorsque le ciel ne se recouvrait pas trop de nuages, lorsque les éclaircies duraient un peu, on aurait pu le croire encore meilleur, encore plus avancé qu'il n'était, plus proche encore de l'été. Les nuages étaient si lents à recouvrir le soleil, si lents à le faire, en effet, que cette journée était presque plus belle encore que celles qui l'avaient précédée. D'autant que la brise qui l'accompagnait était marine, molle, très ressemblante à celle qui soufflerait certains jours, dans les prochains mois.

Certains prétendirent que ce jour avait été chaud. La plupart nièrent, non sa beauté, mais que celle-ci avait été telle que ce jour avait été chaud. Certains n'eurent pas d'avis.

Anne Desbaresdes ne revint que le surlendemain de sa dernière promenade sur le port. Elle arriva à peine plus tard que d'habitude. Dès que Chauvin l'aperçut, de loin, derrière le môle, il rentra dans le café pour l'attendre. Elle était sans son enfant.

Anne Desbaresdes entra dans le café au moment d'une longue éclaircie du temps. La patronne ne leva pas les yeux sur elle, continua à tricoter sa laine rouge dans la pénombre du comptoir. Déjà, la surface de son ouvrage avait augmenté. Anne Desbaresdes rejoignit Chauvin à la table où ils s'étaient assis les jours qui avaient précédé, au fond de la salle. Chauvin n'était pas rasé du matin, mais seulement de la veille. Le visage d'Anne Desbaresdes manquait du soin qu'elle mettait d'habitude à l'apprêter avant de le montrer. Ni l'un ni l'autre, sans doute, ne le remarqua.

— Vous êtes seule, dit Chauvin.

Elle acquiesça, longtemps après qu'il l'eut dite, à cette évidence, tenta de l'éluder, s'étonna encore de ne pas y parvenir.

— Oui.

Pour échapper à la suffocante simplicité de cet aveu, elle se tourna vers la porte du café, la mer. Les Fonderies de la Côte vrombissaient au sud de la ville. Là, dans le port, le sable et le charbon se déchargeaient comme à l'accoutumée.

— Il fait beau, dit-elle.

Dans un même mouvement que le sien, Chauvin regarda au-dehors, scruta aveuglément le temps, le temps qu'il faisait ce jour-là.

— Je n'aurais pas cru que ça arriverait si vite.

La patronne, tant durait leur silence, se retourna sur elle-même, alluma la radio, sans aucune impatience, avec douceur même. Une femme chanta loin, dans une ville étrangère. Ce fut Anne Desbaresdes qui se rapprocha de Chauvin.

— A partir de cette semaine, d'autres que moi

mèneront mon enfant à sa leçon de piano, chez Mademoiselle Giraud. C'est une chose que j'ai acceptée que l'on fasse à ma place.

Elle but le reste de son vin, à petites gorgées. Son verre fut vide. Chauvin oublia de commander d'autre vin.

— Sans doute est-ce préférable, dit-il.

Un client entra, désœuvré, seul, seul, et commanda également du vin. La patronne le servit, puis elle alla servir les deux autres dans la salle, sans qu'ils l'aient demandé. Ils burent immédiatement ensemble, sans un mot pour elle. Anne Desbaresdes parla de façon précipitée.

— La dernière fois, dit-elle, j'ai vomi ce vin. Il n'y a que quelques jours que je bois...

— Ça n'a plus d'importance désormais.

— Je vous en prie..., supplia-t-elle.

— Au fond, choisissons de parler ou de ne rien dire, comme vous le voudrez.

Elle examina le café, puis lui, l'endroit tout entier, et lui, implorant un secours qui ne vint pas.

— J'ai souvent vomi, mais pour des raisons différentes de celle-ci. Toujours très différentes, vous comprenez. De boire tellement de vin à la fois, d'un seul coup, en si peu de temps, je n'en n'avais pas l'habitude. Que j'ai vomi. Je ne pouvais plus m'arrêter, j'ai cru que je ne pourrais plus jamais m'arrêter, mais voilà que tout à coup ça n'a plus été possible, j'ai eu beau essayer. Ma volonté n'y a plus suffi.

Chauvin s'accouda à la table, la tête dans ses mains.

— Je suis fatigué.

Anne Desbaresdes remplit son verre, le lui tendit. Chauvin ne lui résista pas.

— Je peux me taire, s'excusa-t-elle.

— Non.

Il posa sa main à côté de la sienne, sur la table, dans l'écran d'ombre que faisait son corps.

— Le cadenas était sur la porte du jardin, comme d'habitude. Il faisait beau, à peine de vent. Au rez-de-chaussée, les baies étaient éclairées.

La patronne rangea son tricot rouge, rinça des verres et, pour la première fois, ne s'inquiéta pas de savoir s'ils resteraient encore longtemps. L'heure approchait de la fin du travail.

— Nous n'avons plus beaucoup de temps, dit Chauvin.

Le soleil commença à baisser. Il en suivit des yeux la course fauve et lente sur le mur au fond de la salle.

— Cet enfant, dit Anne Desbaresdes, je n'ai pas eu le temps de vous le dire...

— Je sais, dit Chauvin.

Elle retira sa main de dessus la table, regarda longuement celle de Chauvin toujours là, posée, qui tremblait. Puis elle se mit à gémir doucement une plainte impatiente — la radio la couvrit — et elle ne fut perceptible qu'à lui seul.

— Parfois, dit-elle, je crois que je l'ai inventé...

— Je sais, pour cet enfant, dit brutalement Chauvin.

La plainte d'Anne Desbaresdes reprit, se fit plus forte. Elle posa de nouveau sa main sur la table. Il suivit son geste des yeux et péniblement il comprit, souleva la sienne qui était de plomb et la posa sur la sienne à elle. Leurs mains étaient si froides qu'elles se touchèrent illusoirement dans l'intention seulement, afin que ce fût fait, dans la seule intention que ce le fût, plus autrement, ce n'était plus possible. Leurs mains restèrent ainsi, figées dans leur pose mortuaire. Pourtant la plainte d'Anne Desbaresdes cessa.

— Une dernière fois, supplia-t-elle, dites-moi.

Chauvin hésita, les yeux toujours ailleurs, sur le mur du fond, puis il se décida à le dire comme d'un souvenir.

— Jamais auparavant, avant de la rencontrer, il n'aurait pensé que l'envie aurait pu lui en venir un jour.

— Son consentement à elle était entier ?

— Emerveillé.

Anne Desbaresdes leva vers Chauvin un regard absent. Sa voix se fit mince, presque enfantine.

— Je voudrais comprendre un peu pourquoi était si merveilleuse son envie qu'il y arrive un jour.

Chauvin ne la regarda toujours pas. Sa voix était posée, sans timbre, une voix de sourd.

— Ce n'est pas la peine d'essayer de comprendre. On ne peut pas comprendre à ce point.

— Il y a des choses comme celle-là qu'il faut laisser de côté ?

— Je crois.

Le visage d'Anne Desbaresdes prit une expression terne, presque imbécile. Ses lèvres étaient grises à force de pâleur et elles tremblaient comme avant les pleurs.

— Elle ne tente rien pour l'en empêcher, dit-elle tout bas.

— Non. Buvons encore un peu de vin.

Elle but, toujours à petites gorgées, il but à son tour. Ses lèvres à lui tremblaient aussi sur le verre.

— Le temps, dit-il.

— Il faut beaucoup, beaucoup de temps ?

— Je crois beaucoup. Mais je ne sais rien. — Il

ajouta tout bas : Je ne sais rien, comme vous. Rien.

Anne Desbaresdes n'arriva pas jusqu'aux larmes. Elle reprit une voix raisonnable, un instant réveillée.

— Elle ne parlera plus jamais, dit-elle.

— Mais si. Un jour, un beau matin, tout à coup, elle rencontrera quelqu'un qu'elle reconnaîtra, elle ne pourra pas faire autrement que de dire bonjour. Ou bien elle entendra chanter un enfant, il fera beau, elle dira il fait beau. Ça recommencera.

— Non.

— C'est comme vous désirez le croire, ça n'a pas d'importance.

La sirène retentit, énorme, qui s'entendit allègrement de tous les coins de la ville et même de plus loin, des faubourgs, de certaines communes environnantes, portée par le vent de la mer. Le couchant se vautra, plus fauve encore sur les murs de la salle. Comme souvent au crépuscule, le ciel s'immobilisa, relativement, dans un calme gonflement de nuages, le soleil ne fut plus recouvert et brilla librement de ses derniers feux. La sirène, ce soir-là, fut interminable. Mais elle cessa cependant, comme les autres soirs.

— J'ai peur, murmura Anne Desbaresdes.

Chauvin s'approcha de la table, la rechercha, la recherchant, puis y renonça.

— Je ne peux pas.

Elle fit alors ce qu'il n'avait pas pu faire. Elle s'avança vers lui d'assez près pour que leurs lèvres puissent s'atteindre. Leurs lèvres restèrent l'une sur l'autre, posées, afin que ce fût fait et suivant le même rite mortuaire que leurs mains, un instant avant, froides et tremblantes. Ce fut fait.

Déjà, des rues voisines une rumeur arrivait, feutrée, coupée de paisibles et gais appels. L'arsenal avait ouvert ses portes à ses huit cents hommes. Il n'était pas loin de là. La patronne alluma la rampe lumineuse au-dessus du comptoir bien que le couchant fût étincelant. Après une hésitation, elle arriva vers eux qui ne se disaient plus rien et les servit d'autre vin sans qu'ils l'aient demandé, avec une sollicitude dernière. Puis elle resta là après les avoir servis, près d'eux, encore cependant ensemble, cherchant quoi leur dire, ne trouva rien, s'éloigna.

— J'ai peur, dit de nouveau Anne Desbaresdes.

Chauvin ne répondit pas.

— J'ai peur, cria presque Anne Desbaresdes.

Chauvin ne répondit toujours pas. Anne Desbaresdes se plia en deux presque jusqu'à toucher la table de son front et elle accepta la peur.

— On va donc s'en tenir là où nous sommes, dit Chauvin. — Il ajouta : Ça doit arriver parfois.

Un groupe d'ouvriers entra, qui les avaient déjà vus. Ils évitèrent de les regarder, étant au courant, eux aussi, comme la patronne et toute la ville. Un chœur de conversations diverses, assourdies par la pudeur, emplit le café.

Anne Desbaresdes se releva et tenta encore, pardessus la table, de se rapprocher de Chauvin.

— Peut-être que je ne vais pas y arriver, murmura-t-elle.

Peut-être n'entendit-il plus. Elle ramena sa veste sur elle-même, la ferma, l'étriqua sur elle, fut reprise du même gémissement sauvage.

— C'est impossible, dit-elle.

Chauvin entendit.

— Une minute, dit-il, et nous y arriverons.

Anne Desbaresdes attendit cette minute, puis elle essaya de se relever de sa chaise. Elle y arriva, se releva. Chauvin regardait ailleurs. Les hommes évitèrent encore de porter leurs yeux sur cette femme adultère. Elle fut levée.

— Je voudrais que vous soyez morte, dit Chauvin.

— C'est fait, dit Anne Desbaresdes.

Anne Desbaresdes contourna sa chaise de telle façon qu'elle n'ait plus à faire le geste de s'y rasseoir. Puis elle fit un pas en arrière et se retourna sur elle-même. La main de Chauvin battit l'air et retomba sur la table. Mais elle ne le vit pas, ayant déjà quitté le champ où il se trouvait.

Elle se retrouva face au couchant, ayant traversé le groupe d'hommes qui étaient au comptoir, dans la lumière rouge qui marquait le terme de ce jour-là.

Après son départ, la patronne augmenta le volume de la radio. Quelques hommes se plaignirent qu'elle fût trop forte à leur gré.

« MODERATO CANTABILE »
ET
LA PRESSE FRANÇAISE

UNE VOIE NOUVELLE

... J'ai dit de *Moderato cantabile* en commençant qu'il s'agissait d'un livre rare. Il faudrait dire aussi que ce livre, pour rare qu'il soit, ouvre au milieu du désert du roman une voie nouvelle. Nous sommes las de ces romans où, à la mode d'Hemingway, un « *sous-roman* » psychologique s'écoule sous les propos de table et l'énumération des gestes quotidiens, convenu comme une rivière canalisée. Nous sommes las également du symbolisme imité de Kafka qui donne, au mieux, Beckett, et *la Peste* dans le pire des cas. Ce que Marguerite Duras a tenté et réussi avec son dernier roman, c'est un livre où les gestes et les mots, en même temps qu'ils ne veulent dire que ce qu'ils disent, dénoncent immédiatement leur transcendance. On pense, en la lisant, aux livres magistraux où, par une mystérieuse osmose, chaque événement nous happe au monde des idées. On pense à Proust et à Melville.

Claude DELMONT
L'Heure de Paris, 20-2-58

L'ETOUFFANT UNIVERS DE MARGUERITE DURAS

Le nouveau roman que Mme Marguerite Duras publie aux Editions de Minuit, *Moderato cantabile,* est d'une grande brièveté. A peine plus de cent cinquante pages très aérées, imprimées en gros caractères. D'où vient qu'étant court ce récit nous retienne longuement ? (Non qu'il nous donne l'impression de n'en plus finir : c'est nous qui n'en finissons pas avec lui.) D'où que, se tenant semblait-il à la superficie des êtres, il nous paraisse aller si profond ?

Marguerite Duras a pu être officiellement enrôlée dans l'équipe des pionniers qui tentent d'ouvrir au roman ses voies nouvelles. Réunion d'écrivains assez hétéroclite et ne méritant peut-être pas tous l'honneur d'être nommés en même temps que Nathalie Sarraute et Alain Robbe-Grillet. Mais pour Marguerite Duras (comme au pôle opposé pour Jean Cayrol) de tels rapprochements sont défendables : il faut simplifier avant de comprendre.

L'univers de Robbe-Grillet, c'est celui des hommes parmi les objets. Le domaine de Marguerite Duras, celui des hommes-objets. A l'un et à l'autre je préfère le monde de Nathalie Sarraute avec ses petites planètes les unes aux autres étrangères et communiquant par appels chiffrés (l'auteur s'applique à retrouver les codes). Mais la vision d'un Robbe-Grillet, celle d'une Marguerite Duras n'en arrivent pas moins à s'imposer à nous et à nous en imposer.

Dans le récit précédent de Marguerite Duras, *Le Square,* nous avions, entre deux êtres simples, un vain dialogue qui ne menait à rien, sinon à nous rendre sensibles notre propre solitude et notre inanité : comme ces êtres démunis aussi bien qu'à l'exemple du plus grand des poètes, *nous n'étions pas* au monde. Exclusion qui est de nouveau le thème du dernier roman de Marguerite Duras, *Moderato cantabile.*

La difficulté matérielle de vivre distrait (mais à quel prix !) l'immense majorité des hommes de la difficulté d'être. En outre, chacun joue son personnage, comme le garçon de café de Jean-Paul Sartre : tels sont les jeux les plus constants des hommes, négligés par Roger Caillois dans son passionnant *Les Jeux et les Hommes* (Gallimard). Tel est notre oxygène.

Seuls les romanciers peuvent réaliser les conditions de l'impossible expérience qui consiste à nous en priver. Et c'est, par exemple, l'irrespirable univers de Samuel Beckett, ou celui non moins étouffant de Marguerite Duras où la personne humaine n'est plus personne mais souffre. Il y a dans *Moderato cantabile* un admirable chapitre qui nous permet enfin de situer les personnages et de comprendre le peu qui, en eux, peut être compris. Bien des lecteurs auront fermé le livre avant d'y arriver. C'est que la nouvelle littérature ne flatte pas notre paresse ni nos goûts et qu'elle doit être méritée.

Claude MAURIAC
Le Figaro, 12-3-58

UNE NOIX CREUSE

... De ce *dialogue harassant,* il se dégage bien quelques petites choses : le désarroi de cette femme, la tristesse de sa vie, un vague désir de communiquer, par-delà les mots, avec quelqu'un — et pourquoi pas, après tout, avec ce Chauvin qui s'est trouvé là ? Mais pourquoi ces saouleries au vin rouge ? Ce brusque désir de rompre avec la vie normale ? Il y a une sorte d'outrance qui fait que le lecteur ne peut, derrière ce comportement qu'on nous dit, imaginer qu'un monde superficiel dans lequel vit un être superficiel. Cette *coquille de noix* que Marguerite Duras nous offre ne ressemble en rien à celle dont parlait Joyce lorsqu'il disait vouloir mettre *all space in a nutshell,* car elle est, au départ, aussi faussement bariolée qu'un œuf de Pâques.

Anne VILLELAUR
Les Lettres françaises 6-3-58

LA CAVERNE DE PLATON

De quel poids le destin des autres pèse-t-il sur ceux qui en sont témoins ? Pourquoi le cri soudain d'une inconnue et la vue de son corps en sang ont-ils troublé si fort Anne Desbaresdes, qui est une femme jeune et riche, uniquement attachée à son petit garçon ? Pourquoi retourne-t-elle au café sur le port, où le cadavre de l'inconnue s'était écroulé dans le jour tombant ? Pourquoi interroge-t-elle cet autre inconnu, Chauvin, témoin comme elle ? Une étrange ivresse s'empare d'elle, où les verres de vin qu'elle se fait servir, et qu'elle boit lentement, ne sont au mieux que des prétextes. Sur le lieu du crime commis par un autre elle revient chaque jour. Chaque jour elle interroge plus avant, parle elle-même un peu plus longuement. L'enfant joue dehors pendant qu'elle s'attarde. Mais un jour elle viendra seule. Un jour elle aura la réponse. Que cherchait-elle donc ? L'amour de Chauvin ? La mort des mains de cet homme qu'elle désire, et qui la désire, comme l'avait obtenue de son amant la femme assassinée ? Un immense scandale silencieux s'est enflé autour d'Anne et de Chauvin et se résout dans le silence par leurs mains qui se joignent une seconde seulement, les lèvres posées sur les lèvres une seconde. Adieu. Tout est dit.

A peine si ce livre a cent cinquante pages. Pas une

seule de ces pages qui ne soit limpide, pas une seule où ne figure une phrase qui pourrait figurer aussi bien dans un compte rendu de faits divers. Pas une obscurité dans le récit. Il est impossible de concevoir des moyens plus stricts et plus rigoureux. Cette simple clarté, cette brièveté dure et nue sont pourtant chargées de foudre et jettent le lecteur dans un puits sans fond, dans un interminable labyrinthe sans issue, qui est en vérité la caverne de Platon. Car ici rayonnent pour chacun de nous les images de la destinée. Le mystère des corps et des cœurs, le voilà, non pas expliqué, non pas résolu, mais saisi dans son essence par le biais et par le reflet. L'extraordinaire acuité de l'oreille et du regard, l'extraordinaire discrétion de l'écriture vont de pair chez Marguerite Duras avec une intensité presque diabolique, qu'il s'agisse de la présence des êtres ou de celle des choses. Elle dit en ne disant pas. Elle impose en éludant. Elle forme une espèce de creux où ce qu'elle ne décrit ni ne nomme s'engouffre irrésistiblement, s'établit, éclate avec évidence. Que dit-elle de ces deux personnages dont le dialogue fait le centre du récit ? Bien peu de choses. Anne a les cheveux blonds, Chauvin a les yeux bleus. Il est ouvrier, sans doute, dans ces Fonderies qui sans doute encore appartiennent au mari d'Anne. Mais d'eux on sait comme malgré soi tout le reste, sans que personne ait pris la peine de le préciser. Les grands couloirs vides inondés de lumière, dans la grande maison d'Anne Desbaresdes, l'odeur du magnolia en fleur, le ressac de la mer proche — si le détail de cet univers paisible et menaçant remplissait des pages et des pages, il ne pourrait être plus présent qu'il ne l'est en dix lignes, en vingt lignes. Ce bref récit a des prolongements de roman-fleuve, et le titre en est trompeur. Modéré et chantant, peut-être, mais

Moderato cantabile est moins fait de musique et de mélodie que de lumière silencieuse, perçante et brusque comme la lumière des phares tournants ; et comme la tranchante lumière laisse dans l'œil une trace de feu, Marguerite Duras laisse dans l'esprit une sourde traînée de phosphore, qui brûle.

Dominique Aury
La N. N. R. F., 1-6-58

MADAME BOVARY REECRITE PAR BELA BARTOK

Le nouveau roman de Marguerite Duras, *Moderato cantabile,* pourrait se définir : Madame Bovary réécrite par Bela Bartok — s'il ne s'agissait, avant tout, d'un roman de Marguerite Duras (qui ne ressemble finalement à personne) et de son meilleur livre (ce qui est dire beaucoup).

Dès son troisième livre, *Un barrage contre le Pacifique,* l'écrivain avait atteint pourtant la maîtrise. Quand elle a eu dominé le métier du roman traditionnel, on dirait que cela n'a plus intéressé du tout Duras. Elle a entrepris autre chose, avec des bonheurs inégaux, et une personnalité constante. J'aime beaucoup le début du *Marin de Gibraltar,* trois ou quatre des nouvelles de son recueil de contes. *Les Petits Chevaux de Tarquinia* est un livre qui me laisse toujours à la fois séduit et irrité. *Le Square* est une cérémonieuse et déchirante allégorie, œuvre d'art et d'artifice. Mais tout ce qu'elle avait essayé, tenté, tâtonné, entrevu, dépassé et repris, esquissé et raté dans ses précédents romans, tous remarquables et jamais tout à fait achevés, s'accomplit dans *Moderato cantabile.*

C'est un récit d'un extraordinaire dépouillement, construit avec une rigueur formelle admirable, et qui pourtant ne laisse jamais le souci d'architecture, la volonté de sécheresse dans l'expression, le métier rigoureux étouffer ou atténuer l'émotion.

. . . .

Il est bien entendu impossible de parler d'un roman sans « raconter » ce dont il s'agit. Mais si le roman de Marguerite Duras n'était que cette anecdote, il décevrait sans doute. Puisque le titre (et un des thèmes conducteurs) du roman nous invitent à penser à la musique, disons que les modulations, l'harmonisation et les accords de *Moderato cantabile* constituent l'essentiel. J'ai entendu dire et lu, ici et là, qu'il y avait dans le livre je ne sais quoi de systématique et de froid. On comparera Marguerite Duras aux écrivains dont elle tend en effet à se rapprocher, aux phénoménologues du roman « nouveau », acharnés à porter sur le monde et les êtres un regard objectif et froid comme le verre d'un objectif. Ce qui me semble pourtant dominer dans ce livre net et précis, c'est précisément l'émotion, la sensibilité, le murmure savamment réprimé d'une plainte vraiment belle et tout à fait déchirante. Ici un écrivain de tête écrit raisonnablement ce que dicte celui qui a des raisons que la raison ne connaît pas.

Claude Roy
Libération, 1-3-58

LA REGLE DU JEU TRANSGRESSEE

Moderato cantabile, c'est de la littérature d'essai ; un roman-exercice. L'auteur a prouvé précédemment qu'il sait raconter une histoire ; et même il y fourrait des agréments extérieurs en quantité superflue. Etait-ce une raison de tomber aujourd'hui dans l'excès opposé ? En tout cas, l'aventure d'Anne Desbaresdes, telle qu'elle nous est présentée, passerait difficilement pour un divertissement, fût-ce du type le plus noble. Le lecteur doit à ce point tendre sa pensée, pour comprendre où l'on se trouve, qui est en scène, ce qui se passe, qu'aucun enchantement romanesque ne saurait avoir prise sur elle.

Marguerite Duras n'a pas tort de croire que le même fait peut prendre diverses couleurs et produire des émotions différentes, selon la manière dont il est narré. Encore faut-il qu'il soit narré. En l'occurrence, nous voyons une dame qui revient sans cesse au même endroit pour poser sans cesse les mêmes questions ; et, peu à peu, ce manège assez hagard nous permet de deviner à moitié les événements et les sentiments qui furent à sa source. Hélas, une telle recherche ne s'accorde absolument pas avec le phénomène mental par l'effet duquel la fable littéraire nous séduit et nous égare. En définitive, qu'il soit arrivé telle ou telle chose à Chauvin, à Mlle Giraud, au petit garçon d'Anne, cela nous est bien égal, ces fantômes étant restés pour nous des fantômes, auxquels nulle sympathie ne nous attache.

On nous remontre qu'à ce prix nous ressentons, grâce à ces « dialogues harassants », une « présence éclatante du monde et de la vie ». Erreur manifeste !... Il en faut beaucoup moins ou beaucoup plus.

C'est quand une voix basse et tranquille commence : « Il était une fois » (le petit Poucet, la chèvre de M. Seguin, la princesse de Clèves, le cousin Pons, Arthur-Gordon Pym, Augustin Meaulnes), que le monde et la vie nous semblent tout à coup présents : une vie et un monde toujours nouveaux, à mille lieues des nôtres, et où quand même nous nous trouvons transportés en un clin d'œil avec toute la puissance de notre être. On peut tout faire dans le roman, excepté en troubler les conditions essentielles, excepté y couper le courant, lequel ne passe dans les mots, dans les fictions (on l'oublie toujours), que par miracle.

Proust et Joyce eux-mêmes furent contraints, lorsqu'ils voulurent nous enchanter dans les règles, de prendre, vis-à-vis de Palamède de Charlus ou de Stephen Dedalus, la même attitude que l'aède homérique vis-à-vis du bouillant Achille. Ce récit supporte d'être coupé, suspendu, enfoui sous une magie étrangère, enveloppé de discours et de réflexions, reflété dans la cervelle d'un témoin comme dans une glace, mêlé comme un jeu de cartes ou truqué comme une balance : il ne souffre pas d'être remplacé par autre chose. Une composition décorative et statique où paraissent des personnages imaginaires n'est pas un roman, n'agit pas sur nous comme un roman, quelles que soient ses qualités humaines et ses mérites intellectuels. Surtout, il ne nous rend présents ni le monde, ni la vie.

Il y a dans l'art éternel du romancier cent innovations merveilleuses à tenter dont personne ne s'avise. Tout une jeune école s'épuise à modifier précisément ce qui, par nature, doit rester invariable, à savoir : l'illusion narrative. Un accablement sans nom, qu'adoucit le respect des naïfs, s'abat sur ces travaux de laboratoire. Ils s'évanouiraient en une seconde, au premier aspect de cet astre : un tempérament.

Robert POULET
Rivarol, 10-7-58

UN LANGAGE QUI RECUSE LA QUIETUDE DU SAVOIR

Moderato cantabile amène le lecteur à devenir le témoin d'une aventure métaphysique vécue organiquement, dans l'obscurité, presque dans l'imbécillité. Nous voilà loin des consciences bavardes et des qualifications rassurantes, qui, à force de cataloguer les choses, font croire qu'elles sont à notre portée.

Pour oser s'évader de l'ordre extérieur de son existence, Anne Desbaresdes aura recours au vin. Tremblement, émoi, sourire de délivrance, grimace perplexe, constatation d'une envie inhabituelle de rire ou de ne pas rentrer chez elle, tous ces signes nous montrent que l'auteur se place au plus bas niveau possible, au-dessous du niveau des histoires, des interprétations commodes, des limitations, des fausses compréhensions de l'intelligence, qu'il se refuse aux explications, aux déroulement clairs, aux enchaînements savants.

Il ne s'agit pas d'une démission de la littérature. Jamais livre ne fut plus rigoureusement construit. D'une quinzaine de pages chacun, sept dialogues tâtonnants, — qui pourraient paraître nés du hasard ou de mouvements aveugles ayant échappé au schématisme de l'intellect, — et un dîner d'une perfection formelle presque irritante tant elle est concertée, nous mettent en face et de la nuit intérieure et de l'éclat des apparences sur lesquelles le regard glisse sans pou voir pénétrer. Nécessaire, juste, presque contrôlé, dirait-on, au dictionnaire, le mot joue son rôle strict, qui n'est pas de suggérer par des artifices le mystère, mais d'en faire constater l'existence.

Ici le langage garde toute sa beauté, toute sa magie aussi, mais il est dépouillé de ce qu'on lui accorde si volontiers, la confiance en ses pouvoirs de saisie. Il lui est ôté cette facilité qui consiste, en nommant les choses, à les faire disparaître derrière un écran de familiarité. La quiétude du savoir est troquée contre l'inquiétude, l'étonnement, l'émotion presque religieuse où doit nous plonger une réalité rétablie dans sa distance par rapport à nous.

Par la place qu'elle fait au silence en refusant de nommer, de raconter, de distraire, de meubler les blancs, Marguerite Duras force le lecteur attentif à se réveiller, à écarter les explications habituelles ou du moins à les vérifier. Ce livre ne nous permet pas de nous laisser glisser de geste en geste, d'événement en événement ; avec lui nous sommes forcés de constater l'inconnu, qui est peut-être, qui demeurera peut-être l'inconnaissable.

Dans l'œuvre déjà importante de Marguerite Duras, chaque livre est une nouvelle recherche. On se souvient sans doute que dans *Le Marin de Gibraltar,* à travers des dialogues touffus, sans directions apparentes, de multiples aventures géographiques, un homme et une femme s'aimaient dans la poursuite sans terme d'un marin mythique. *Le Square,* dont le propos paraît l'inverse de *Moderato cantabile,* traitait à peu près le même sujet, la rencontre de deux êtres et leurs tentatives de communication jusqu'à son point le plus extrême, l'amour, en utilisant au maximum les possibilités de formulation du langage.

Plus que l'apport d'un procédé nouveau, une habileté technique, le dernier livre de Marguerite Duras, — et il faut espérer que le Prix de Mai qui vient de lui être attribué incitera les lecteurs à l'attention qu'il nécessite, — représente une attitude d'esprit qui contient peut-être pour le roman une de ses plus réelles chances de renouvellement.

Madeleine ALLEINS
Critique, 1-7-58

UN ESSAI
NON UNE ŒUVRE ACHEVEE

Mme Marguerite Duras a rejoint aux Editions de Minuit où paraît son nouveau livre, *Moderato cantabile,* MM. Butor, Robbe-Grillet et Claude Simon, la jeune et intéressante équipe de ces romanciers-enregistreurs, pour qui l'écrivain doit être rigoureusement absent de son récit et se borner à rapporter, en vrac, comme elles lui parviennent, ses sensations à l'état brùt.

Mme Duras ne fait pas figure de tardive recrue dans ce groupe. Son livre, *Le Square,* paru il y a trois ans je crois, ressortissait déjà à la même esthétique, les rendez-vous sur un banc de jardin public de son terne héros et de sa médiocre héroïne étaient, dans la lenteur et la banalité voulues de leur conversation, comme une première épreuve de *Moderato cantabile.*

Le critique est en droit de se demander pourquoi ce second essai, car il ne peut s'agir que d'un essai en vue de créer plus tard une œuvre achevée. En voici le thème : Anne Desbaresdes a assisté par hasard à un crime passionnel dans un café du port, pendant que son petit garçon prenait sa leçon de piano. Elle ira à plusieurs reprises dans ce café et elle interroge un homme qu'elle y retrouve chaque fois. Nous avons l'impression que l'homme n'en sait pas plus long qu'Anne et que d'ailleurs elle n'écoute guère ce qu'il lui raconte. Après cinq ou six rencontres, aucune action ne se sera engagée, mais nous sentons vaguement que les positions psychologiques se sont transformées. Malheureusement, cette évolution qui nous intéressait tant dans *La Modification* de Michel Butor ne réussit guère ici à nous retenir. Je crois très sincèrement que Mme Duras s'enfonce dans une impasse et je le déplore, car elle sait peindre, à touches menues, des scènes vivantes et vraies, par exemple la leçon de piano du gamin qui met toute la mauvaise volonté du monde à jouer une *Sonatine* de Diabelli et ne veut pas se rappeler que *moderato* veut dire modéré et *cantabile,* chantant.

Jean MISTLER
L'Aurore, 12-3-58

L'ART DE NE RIEN CONCLURE

... Le propre des solutions imaginaires est de demeurer constamment ouvertes et, précisément, de ne rien conclure. Anne et Chauvin se reverront-ils ? Deviendront-ils amants ? La tragédie qu'ils ont mimée dans l'ivresse des possibilités offertes par l'envoûtement du sang versé, du vin bu, des paroles échangées, la vivront-ils, eux-mêmes ou avec d'autres partenaires ? La voie que voulait se frayer Anne conduit-elle à l'amour, à l'indépendance, ou à la frustration ? Quel rôle joue l'enfant dans les déterminations d'Anne ? Nous n'en saurons rien. L'auteur se referme sur ses secrets et, après nous avoir tendu divers fils d'Ariane, nous abandonne à la sortie du labyrinthe. C'est sans doute de sa part une ruse supplémentaire. Libre à nous, au grand jour, de nous frotter les yeux ou de retourner aux rêves de la nuit. Si quelque irritation nous visite, elle est encore le fruit de la parfaite science de Marguerite Duras, de sa maîtrise. Sa réussite voulait l'inaccomplissement.

Maurice NADEAU
France Observateur, 6-3-58

« MODERATO CANTABILE »
DANS L'ŒUVRE
DE MARGUERITE DURAS

C'est un beau récit que ce *Moderato cantabile* que vient d'écrire Marguerite Duras. Mais il ne prend toute sa force que si nous le situons dans l'œuvre de son auteur, déjà considérable, et à la fois vigoureuse, intelligente, émouvante : l'une des premières d'aujourd'hui.

Dans *Moderato cantabile,* non seulement ce qui se passe n'est pas dit, mais il ne se passe peut-être rien. On hésite à parler d'un art de la suggestion, car il n'est pas certain que cet art prenne appui sur une réalité que le romancier connaîtrait, et qu'il dissimulerait au lecteur à seule fin de le contraindre à l'initiative. Sans doute faut-il dire que cette réalité n'existe pas, du moins que son existence est problématique. Suggestion, élision sont ici mots douteux. Il faudrait parler d'un art d'appel, d'un art créant par son vide même une sorte d'appel d'air. Le récit dessine des contours que n'emplit aucune forme réelle ; il ne suggère pas, au moyen d'un silence concerté, un vrai récit tenu secret : plein de son vide, sourd de son silence, il semble vouloir se dépasser vers un événement, une signification, une parole ;

mais l'objet vers lequel il est tendu lui fait défaut. S'il y a ici un art de la suggestion, il s'agit d'une suggestion sans objet.

Rien ne se passe, en effet, bien que le prétexte du livre soit le fait-divers le plus dramatique : un crime passionnel. Dans un bar, un homme a tué une femme. Mais ce geste n'existe que par la fascination qu'il exerce sur un autre homme et sur une autre femme qui n'en furent même pas les témoins directs et qui n'en approchent la signification qu'en l'inventant peut-être, à travers l'étrange rêverie qui les possède désormais. Arrachés par le cri d'agonie à l'ordre quotidien, à cette « vie tranquille » où il n'y a plus de respiration pour l'espoir, l'homme et la femme se rencontrent chaque jour dans le bar qui reçut le sacre de l'événement. Ils se parlent ; ils imaginent que ce fut le vœu de cette femme d'être tuée par l'homme qu'elle aimait, et le sentiment qui, entre eux, prend naissance retrouve, assume ce désir. Peut-être vont-ils revivre la même légende de la mort et de l'amour. Peut-être... Mais le romancier lui-même n'en sait rien. Qui peut donner un nom à ce qui s'est passé entre les inconnus, à ce qui se passe maintenant entre Anne Desbaresdes et Chauvin ? Qui peut savoir la forme que le destin donnera à cette complicité indéchiffrable ? Peut-être n'ont-ils pas d'autre histoire que celle d'avoir un instant échangé ces paroles, posé leurs mains l'une sur l'autre, mêlé une seule fois leurs bouches. Tout est suspendu à l'attente d'un événement qui ne vient pas, d'un événement inimaginable. Tout fléchit sous le poids d'une passion qui n'accouche pas d'elle-même, qui ne sais pas même son nom.

Le récit précédent, *Le Square,* témoignait de la même technique et reposait sur la même situation. Un homme et une jeune fille se rencontrent sur le banc d'un jardin public, un samedi après-midi ; et leur dialogue fait toute la matière du livre. Ils tentent non seulement de s'échanger, mais de s'accoucher d'eux-mêmes. Mais rien ne vient vraiment à la lumière, et ce qui bouge dans l'ombre, on ne sait si c'est l'espoir, ou le désespoir, l'amour possible ou l'ineffaçable solitude. Se retrouveront-ils le samedi suivant ? On l'ignore, comme on ignore tout de l'avenir des complices du *Moderato cantabile*.

Devant ces deux récits, l'impression dominante est celle de l'art qui parvient à nous tenir en haleine avec des silences et des vides. C'est un monde violent où la vie remue pour déboucher à la lumière, accéder à sa propre naissance. Mais elle n'y accède pas ; rien ne reçoit de forme ni de nom. Par ailleurs, dans ces deux récits implacablement dénudés, rigoureusement épurés, l'auteur se garde d'ajouter quoi que ce soit à la simple présence des choses : nul récit ne relie entre eux les gestes accomplis, les paroles prononcées pour leur donner un sens autre que celui de leur manifestation ; rien ne survole les personnages pour leur donner un passé, une conscience ou un destin. Sur ce vide, dans ce désert, l'art seul se détache, attire sur lui la lumière : admirable d'animer cette immobilité, de faire parler ce silence. C'est le ton des voix que nous avions retenu du *Square,* leur tristesse et leur pathétique ambigus, et c'est bien cela que nous retrouvons dans le dernier récit, cette voix chantante et modérée qui lui donne si justement son titre, cette discrète incantation. Nous ne retenons que sa courbe mélodique : admirable structure d'un récit absent.

C'est dire que nous avons le sentiment d'une remarquable prouesse technique. Pourtant, il s'agit de bien autre chose. Autour de ces branches dénudées toute une végétation se presse ; mais elle demeure invisible pour qui ne connaît pas les livres précédents de Marguerite Duras. Cette végétation n'est aucunement celle du récit lui-même, dissimulée pour que nous soyons contraints de la reconstituer, comme c'est le cas dans certains romans d'Henry James où l'ambiguïté et l'incertitude sont telles que nous nous sentons d'abord requis par la logique de la narration, attentifs à la main qui dessine plus qu'à la forme qu'elle dessine en blanc : non point tant cependant que nous n'ayons aussi le sentiment que dans ce blanc se dissimule réellement une forme et que nous ne fassions effort pour l'entrevoir. (Par exemple, nous ne savons pas ce qui s'est passé entre Mme de Vionnet et Strether, mais nous savons que quelque chose s'est passé). Mais, ici, ce n'est pas à la réalité et à la signification d'une histoire que nous renvoie la voix modérée et chantante ; c'est à une expérience globale dont les autres romans nous livrent les signes, les symboles les plus agissants.

Signes que nous retrouvons ici, mais il faut les connaître pour les reconnaître. Aussi la lecture d'un tel récit est difficile. Car nous risquons de prendre pour un signe précis et déchiffrable ce qui est pure manifestation de l'ambiguïté ou même de l'irréalité, et, à l'inverse, de prendre pour de simples prétextes, pour des détails sans intérêt ce qui est signe personnel chargé de sens. Par exemple, nous aurions tort de chercher des paroles précises au-dessous des paroles vagues ou des silences, le nom des sentiments derrière l'étrange opacité des gestes ; nous aurions tort de vouloir deviner une histoire qui n'existe pas, du moins qui n'existe pas encore. En revanche, les choses mêmes qui nous sont présentées sous l'aspect de la pure contingence, et que nous sommes portés à prendre rapidement pour des détails et des prétextes, témoignent de l'univers secret du romancier. C'est par les marges du récit qu'il se révèle à nous.

Ainsi il faut prendre garde à l'enfant qui accompagne l'héroïne, et qui ne parvient pas à apprendre ce morceau de musique : il y a aussi un enfant dans *Le Square,* dans *Les petits chevaux de Tarquinia,* et nous retrouvons le rapport mère-fils ou mère-fille dans *Un Barrage contre le Pacifique* et dans *Des journées entières dans les arbres.* Il faut prendre garde à cette vedette qui passe, pendant la leçon de piano, dans le cadre de la fenêtre ouverte : le bateau dans *Les petits chevaux de Tarquinia,* et dans *Le Marin de Gibraltar,* est le symbole de la liberté, de l'évasion. Il faut prendre garde au vin dont Anne ne parvient pas à se rassasier, ce vin qui a « la saveur anéantissante des lèvres inconnues d'un homme de la rue » : à l'alcool (whisky, champagne ou bitter-campari), les personnages des autres livres demandent la même libération, la même torpeur ou la même audace. Il faut prendre garde à ce repas bourgeois où Anne fait scandale, car la distance sociale, comme dans chaque livre, y est accusée : dans le *Barrage,* c'est l'auto de M. Jo, le yacht d'Anna dans *Le Marin de Gibraltar,* le personnage de la bonne dans *Les petits chevaux de Tarquinia.* Mais, bien entendu, le signe essentiel (et le lecteur le plus distrait ne saurait l'ignorer), c'est celui de la rencontre. Tous les livres de Marguerite Duras sont l'histoire d'une rencontre : rencontre des deux personnages anonymes du *Square,* de Sara et de l'homme au bateau, des deux clients de l'hôtel dans *Les Chantiers,* même de Mme Dodin et du balayeur ; rencontre qui, cette fois, répond à une rencontre primordiale, mythique, des deux personnages de *Moderato cantabile,* sur le lieu même du sacrifice, rencontre d'Anna et du narrateur après celle (peut-être imaginaire) d'Anna et du *Marin de Gibraltar*.

« Délivré d'une réalité qui, si elle n'avait concerné que lui seul, l'aurait soumis à elle, l'homme avait de plus en plus tendance à ne plus voir dans les choses que des signes. Tout devenait signe d'elle ou signe pour elle. » C'est en termes obscurs, mais révélateurs, qu'est commentée dans *Les Chantiers* la rencontre de l'homme et de la femme. La communication humaine : seul moyen de supporter la réalité, et peut-être d'en changer. Car la vie est étouffante comme cette chaleur qui gâte les vacances des estivants sur la côte italienne, comme la misère de cette concession stérile d'Indochine ; le monde et la société sont des prisons. A l'horizon passent des images de liberté : bateaux de plaisance, autos de luxe. Et, à portée de la main, il y a l'alcool. Mais c'est avec un autre être que l'on imagine la vie en mer ; et l'alcool donne avant tout le courage de chercher cet autre être, d'entamer avec lui un dialogue... L'amour est l'objet fondamental de l'attente, de l'espoir ; à lui est suspendue la possibilité d'une autre vie. Et la rencontre a lieu, toujours. Mais est-ce la vraie rencontre ? On ne sait jamais ce qu'il adviendra du couple à peine formé ; et, dans *Les petits chevaux de Tarquinia,* on le voit renoncer à lui-même. Ce sont là les romans de l'attente et du désir, jamais de l'accomplissement. C'est sans doute qu'aucun amour ne peut tenir lieu de l'amour, comme le dit un personnage ; c'est aussi que l'autre n'est que notre semblable, et se débat dans le même vide étouffant. L'amour n'est pas une possibilité capable de changer réellement un destin. Il apparaît comme l'impossible, une fulguration qui ne peut qu'anéantir la vie qu'elle éclaire ; et, dans *Moderato cantabile,* l'amour est explicitement uni à la mort.

Si nous songeons aux possibilités d'expression de cette expérience, nous voyons que les récits suspendus et vides que l'auteur vient d'écrire sont fidèles à sa logique. Sans doute, en renonçant à la technique qui est celle d'*Un barrage dans le Pacifique,* du *Marin de Gibraltar* et des *Petits chevaux de Tarquinia,* technique qui, selon le mixte traditionnel, unit le récit rétrospectif et la prise de vues, l'organisation et la présence, le regard divin du romancier sondant la conscience de ses créatures, rappelant leur passé, pressentant leur destin et l'œil innocent de la caméra, Marguerite Duras obéit à l'impulsion majeure du roman contemporain inquiet de l'impureté de ce mixte et soucieux d'une perspective cohérente. Mais, dans son cas, il y a plus. Si se trouve écarté le point de vue de l'auteur historien, psychologue et prophète, ce n'est pas qu'il soit seulement facilité ou tricherie : c'est que l'existence qui nous est ici présentée se réduit à sa pure manifestation. Ce monde de l'attente et de la rencontre sans lendemain est un monde immobile et sans profondeur, sans dessous dramatique ni psychologique : c'est l'histoire d'un monde sans histoire. Aussi lorsque l'auteur, qui conte remarquablement, cède à la tentation de raconter une histoire possédant un sens par elle-même, comme dans le *Barrage* et surtout *Le Marin de Gibraltar,* elle dérive quelque peu de son expérience profonde ; ici, l'anecdote dépersonnalise les signes, les orientant vers elle-même, alors qu'ils sont orientés vers l'expérience qui transcende toute anecdote. Mais, à l'inverse, dans *Le Square* et dans *Moderato cantabile,* les signes risquent de passer inaperçus, parce que l'auteur se tient si bien en retrait que nous ne voyons plus le lien qui les unit à son expérience ; nous risquons de prendre des aveux pour des détails contingents, des signes pour de simples faits. Le problème technique qui se pose à cette œuvre, et dont les deux derniers récits révèlent l'inquiétude, n'est pas seulement un problème de rigueur ou d'exigence : il s'agit surtout de savoir sous quel éclairage les signes qui la constituent agiront avec le plus d'efficacité. Certes, la direction personnelle d'un récit autonome peut affaiblir et éteindre les signes en faisant d'eux les éléments d'une histoire extérieure. Mais « céder l'initiative aux choses » ne va pas non plus sans danger ; car les signes risquent justement de se transformer en choses, en réalités contingentes. *Moderato cantabile* est-il un simple essai, ou bien l'ouverture d'une technique à laquelle l'auteur va rester fidèle ? Pour que le livre s'anime et s'approfondisse, il faut que le lecteur puisse le nourrir et le vivifier avec le souvenir des autres œuvres. C'est beaucoup demander ; et peut-être même n'est-ce pas de jeu. Je crois qu'il faut que, d'une certaine manière, l'auteur intervienne plus directement ; qu'il rattache lui-même ce chant qui s'élève dans un espace dénudé à l'expérience dont il vient. C'est à cette condition que les choses, comme les anecdotes, se manifesteront comme signes.

Gaëtan PICON
Mercure de France, juin 58 [1]

1. Etude recueillie dans *L'usage de la lecture* (tome 2), Mercure de France.

CET OUVRAGE A ÉTÉ ACHEVÉ D'IMPRIMER LE VINGT JUIN MIL NEUF CENT QUATRE-VINGT-UN SUR LES PRESSES DE L'IMPRIMERIE CORBIÈRE ET JUGAIN, A ALENÇON, ORNE, ET INSCRIT DANS LES REGISTRES DE L'ÉDITEUR SOUS LE N° 1659

Imprimé en France